TRINTA E POUCOS

ANTONIO PRATA

Trinta e poucos

6ª reimpressão

Companhia Das Letras

Copyright © 2016 by Antonio Prata

Grafia atualizada segundo o Acordo Ortográfico da Língua Portuguesa de 1990, que entrou em vigor no Brasil em 2009.

Capa
Alceu Chiesorin Nunes

Foto de capa
Tomaz Vello

Jornal
Folhapress

Preparação
Silvia Massimini Felix

Revisão
Luciane Gomide Varela
Jane Pessoa

Dados Internacionais de Catalogação na Publicação (CIP)
(Câmara Brasileira do Livro, SP, Brasil)

Prata, Antonio
Trinta e poucos / Antonio Prata. — 1ª ed. — São Paulo :
Companhia das Letras, 2016.

ISBN 978-85-359-2768-9

1. Contos brasileiros I. Título.

16-04517   CDD-869.3

Índice para catálogo sistemático:
1. Contos : Literatura brasileira 869.3

Todos os direitos desta edição reservados à
EDITORA SCHWARCZ S.A.
Rua Bandeira Paulista, 702, cj. 32
04532-002 — São Paulo — SP
Telefone: (11) 3707-3500
www.companhiadasletras.com.br
www.blogdacompanhia.com.br
facebook.com/companhiadasletras
instagram.com/companhiadasletras
twitter.com/cialetras

Sumário

Um escritor! Um escritor!, 9
Recordação, 12
Vespertina tropical, 15
Separação, 18
É pavê..., 21
Não quer dar uma olhada na água?, 24
Vozinha, 27
O engano, 30
A jarra, 33
"Felicidade, sim", 36
Eu não nasci de óculos, 38
Forrando a própria cova, 41
Expiar, 44
(M?) (H?)otel, 46
Meias, 48
O fim de (quase) tudo, 51
Plano, 54
Sobre heróis e tubas, 57

Abril, maio, junho, 59

Eu, ela e o Keith, 61

Sozinho, 64

Libera a guitarrinha!, 67

Ars *procrastinaria*, 70

Sapatos, 73

Coleta de material, 76

A gostosa do câmera, 79

Feira de Frankfute, 81

Ficando pra trás, 84

O nariz, 86

Dupla personalidade, 89

Acaju?, 92

K entre nós, 95

Estado de graça, 98

Apolpando, 100

Na maciota, 103

O sustinho, 106

Sobe o pano, 109

Diário, 111

Do chutão, 114

Sua vez, 116

Impressões digitais, 119

Gênesis, revisto e ampliado, 122

Dente por dente, 125

Vini, vidi, perdidi, 128

Nas coxas, 131

Cliente paulista, garçom carioca, 134

Abundância, 136

A fuga do cativeiro egípcio, 139

Por um fio, 141

O agudo e a crônica, 144

Coisas importantes, 147
Geopolítica do coração, 149
7×1, 151
Íntimos desconhecidos, 153
Estiagem, 156
Charutos e chupetas, 159
Embarque, 161
Meia abdominal, 164
Saída para o mar, 167
2001: Uma odisseia no espaço, 170
Meu reino por uma pamonha, 173
Desmantelo só quer começo, 176
Mexeriqueira em flor, 179
O guarda-chuva, 182
Trinta e quantos?, 185
Ao pé do olvido, 188
Crônica de Natal, 191
Crônica de quatro faces, 194
A metamorfose — com barreiras, 197
Mal-ajambrados, 200
Daniel, 203
Um machado, comida pra gato, 206
Abraçando árvore, 209
Tal pai, tal filho, 212
Dormir é para os fracos, 215
Refogar cebolas, 218
Carta pro Daniel, 221
Indo embora, 224

Um escritor! Um escritor!

Com o jornal numa mão e um guaraná diet na outra, eu caminhava pelas ruas de Kiev, desviando de barricadas e coquetéis molotov, quando a voz no sistema de som me trouxe de volta à poltrona 11C: "Atenção, senhores passageiros, caso haja um médico a bordo, favor se apresentar a um de nossos comissários".

Foi aquele discreto alvoroço: todos cochichando, olhando em volta, procurando o doente e torcendo por um doutor, até que, do fundo da aeronave, despontou o nosso herói. Vinha com passos firmes — grisalho, como convém —, a vaidade disfarçada num leve enfado, como um Clark Kent que, naquele momento, estivesse menos interessado em demonstrar os superpoderes do que em comer seus amendoins.

Um comissário o encontrou no meio do corredor e o levou apressado até uma senhora gorducha que segurava a cabeça e hiperventilava na primeira fileira do avião. O médico se agachou, tomou o pulso, auscultou peito e costas, conversou baixinho com ela, depois falou com a aeromoça. Trouxeram uma caixa de metal, ele deu um comprimido à mulher e, nem dez minutos mais tarde, voltou pros seus amendoins, sob os olhares admirados de todos. Ou quase: a minha admiração, devo admitir, foi rapidamente fagocitada pela inveja.

Ora, quando a medicina nasceu, com Hipócrates, a história de Gilgamesh já circulava pelo mundo havia mais de dois milênios: desde tempos imemoriais, enquanto o corpo seguia ao deus-dará, a alma era tratada por mitos, versos, fábulas — e, no entanto... No entanto, caros leitores, quem aí já ouviu uma aeromoça pedir, ansiosa: "Atenção, senhores passageiros, caso haja um escritor a bordo, favor se apresentar a um de nossos comissários"?

Eu não me abalaria. Fecharia o jornal sem afobação, poria uma Bic e um guardanapo no bolso, iria até a senhora gorducha e me agacharia ao seu lado. Conversaríamos baixinho. Ela me confessaria, quem sabe, estar prestes a reencontrar o filho, depois de dez anos brigados: queria falar alguma coisa bonita pra ele, mas não era boa com as palavras. Eu faria uma rápida anamnese: perguntaria os motivos da briga, o nome do filho, se ele tava mais pra Chet Baker ou pra Sylvester Stallone, levantaria recordações prazerosas da relação, pinçaria um ou dois versos do Drummond — ou do Raul, a depender do gosto do cliente — e, antes de tocarmos o solo, entregaria à mulher três parágrafos capazes de verter lágrimas até da estátua do Borba Gato.

De volta ao meu lugar, passageiros me cumprimentariam e compartilhariam histórias semelhantes. Uma jovem mãe me contaria do primo poeta que, ao ouvir os apelos do garçom, num restaurante — "Um escritor, pelo amor de Deus, um escritor!" —, tinha sido levado até um rapaz apaixonado e conseguido escrever seu pedido de casamento no cartão de um buquê antes que a futura noiva voltasse do banheiro. Um senhor comentaria o caso muito conhecido do romancista que, num cruzeiro, após as súplicas de três mil turistas, fora capaz de convencer duzentos tripulantes a abandonar o gerúndio. Eu sorriria, de leve. Diria "Pois é, se você escolheu essa profissão, tem que tá preparado pra emergências", então recusaria educadamente o saquinho de amendoins que a vizinha de poltrona me ofereceria e voltaria pras bombas da Crimeia, com meu copo de guaraná.

Recordação

"Hoje a gente ia fazer vinte e cinco anos de casado", ele disse, me olhando pelo retrovisor. Fiquei sem reação: tinha pegado o táxi na Nove de Julho, o trânsito estava ruim, levamos meia hora pra percorrer a Faria Lima e chegar à rua dos Pinheiros, tudo no mais asséptico silêncio. Aí, então, ele me encara pelo espelhinho e, como se fosse a continuação de uma longa conversa, solta essa: "Hoje a gente ia fazer vinte e cinco anos de casado".

Meu espanto não durou muito, pois ele logo emendou: "Nunca vou esquecer: 1º de junho de 1988. A gente se conheceu num barzinho lá em Santos e dali pra frente nunca ficou um dia sem se falar! Até que cinco anos atrás... Fazer o quê, né? Se Deus quis assim...".

Houve um breve silêncio, enquanto ultrapassávamos um caminhão de lixo, e consegui encaixar um "Sinto muito". "Brigado. No começo foi complicado, agora tô me acostumando. Mas sabe que que é mais difícil? Não ter foto dela." "Cê não tem nenhuma?" "Não, tenho foto, sim, eu até fiz um álbum, mas não tem foto dela fazendo as coisas dela, entendeu? Tipo: tem ela no casamento da nossa mais velha, toda arrumada. Mas ela não era daquele jeito, com penteado, com vestido. Sabe o jeito que eu mais lembro dela? De avental. Só que toda vez que tinha almoço lá em casa, festa e alguém aparecia com uma câmera na cozinha, ela tirava correndo o avental, ia arrumar o cabelo, até ficar de um jeito que não era ela. Tenho pensado muito nisso aí, das fotos, falo com os passageiros e tal e descobri que é assim, é do ser humano mesmo. A pessoa, olha só, a pessoa trabalha todo dia numa firma, vamos dizer, todo dia ela vai lá e nunca tira uma foto da portaria, do bebedor, do banheiro, desses lugares que ela fica o tempo inteiro. Aí, num fim de semana ela vai pra uma praia qualquer, leva a câmera, o celular e tchuf, tchuf, tchuf. Não faz sentido, pra que que a pessoa quer gravar as coisas que não são da vida dela e as coisas que são, não? Tá acompanhando? Não tenho uma foto da minha esposa no sofá, assistindo novela, mas tem uma dela no jet ski do meu cunhado, lá na represa de Guarapiranga. Entro aqui na Joaquim?" "Isso."

"Ano passado me deu uma agonia, uma saudade, peguei o álbum, só tinha aqueles retratos de casório, de viagem, do jet ski, sabe o que eu fiz? Fui pra Santos. Sei lá, quis voltar naquele bar onde a gente se conheceu." "E aí?!" "Aí que o bar tinha fechado em 94, mas o proprietário, um senhor de idade, ainda morava no imóvel. Eu expliquei a minha história, ele falou: 'Entra'. Foi lá num armário, trouxe uma caixa de sapatos e disse: 'É tudo foto do bar, pode escolher uma, leva de recordação'."

Paramos num farol. Ele tirou a carteira do bolso, pegou a foto e me deu: umas cinquenta pessoas pelas mesas, mais umas tantas no balcão. "Olha a data aí no cantinho, embaixo." "Primeiro de junho de 1988?" "Pois é. Quando eu peguei essa foto e vi a data, nem acreditei, corri o olho pelas mesas, vendo se achava nós aí no meio, mas não. Todo dia eu olho essa foto e fico danado, pensando: será que a gente ainda vai chegar ou será que a gente já foi embora? Vou morrer com essa dúvida. De qualquer forma, taí o testemunho: foi nesse lugar, nesse dia, tá fazendo vinte e cinco anos hoje, hoje, rapaz. Ali do lado da banca, tá bom pra você?"

Vespertina tropical

Tendo acabado de criar o firmamento, as águas e os continentes, o luzeiro maior para governar o dia e o menor para governar a noite, o homem, a mulher, a zebra, as orquídeas, os elétrons, o umbu e a neblina, Deus quis dar um último toque em Sua obra: num arroubo de lirismo, lá pelas 17h54 do sexto dia, pintou a aurora boreal. É, de fato, um troço estupendo: mais bonito que o pôr do sol, mais improvável que a girafa, mais grandioso que o relâmpago. Era pra ser o ápice da criação, a maior atração da Terra, diante da qual casais em lua de mel deixariam cair os queixos, japoneses ergueriam as câmeras e mochileiros bateriam palmas, contentes por terem nascido neste planeta abençoado e multicolor — mas infelizmente, como se sabe, a aurora boreal não pegou.

Claro: é longe, é raro e é muito cedo, como esses shows incríveis marcados pra domingo de manhã, no Parque do Carmo. Imagina se a aurora boreal fosse nos trópicos, todo dia, seis e meia da tarde? O sujeito tá num táxi na avenida Atlântica, no Rio de Janeiro, olha pro lado, o céu todo verde e amarelo e laranja e roxo, saca o celular, faz um selfie, posta "#vespertinatropical!!!" e segue pra casa, satisfeito. Mas não, é pra lá da Groenlândia, 4:30 a.m., ninguém sabe quando: aí, não adianta reclamar que o público é ignorante e prefere a caretice hollywoodiana e açucarada de um arco-íris.

Fosse só a aurora boreal, beleza, mas a natureza tá cheia de desarranjos semelhantes. Não surpreende: ela foi criada há milhões de anos, nunca passou por uma revisão e ainda é administrada pelo fundador. Se eu fosse Javé, chamava uma dessas consultorias especializadas em fazer a transição de empresas familiares pra organizações, digamos, mais competitivas, e dava um choque de gestão. Nem precisa gastar muito, basta alocar melhor os recursos.

Olha os cometas, por exemplo. Tudo espalhado por aí, nos visitam só a cada setenta, cem anos, às vezes chegam de lado, outras vezes de dia, ninguém vê, baita desperdício de energia. Por que não otimizar essas órbitas? Fazer com que venham cinco, dez ao mesmo tempo na noite de Réveillon, proporcionando uma espécie de queima de fogos global à nossa sofrida humanidade?

A gravidade é outro assunto que merece uma calibrada: tem que ser mesmo 9,8 m/s^2? Por quê? Como Deus chegou a esse número? Gostaria que Ele abrisse as planilhas pra entendermos se cada m/s^2 é realmente necessário. Com metade dessa atração nós continuaríamos colados ao chão e seria muito mais agradável se locomover por aí. O mínimo que o Senhor poderia fazer era dar uma amainada de dezembro a março: imagina que alívio encarar esse calorão com 25% menos esforço, durante a "Gravidade de Verão". Sem falar, óbvio, em 50% pra grávidas, idosos e cadeirantes.

Não tenho dúvida de que o Todo-Poderoso resistirá a essas e outras reformas. Criar o Universo é o tipo da coisa que infla um pouco o ego do sujeito, mas seria bom se Ele se animasse a colocar o mundo nos eixos — literalmente: já repararam como a Terra gira toda torta, envergada como um frei Damião? Se meu pacote de sugestões não puder convencê-Lo pelo bom senso, quem sabe ao menos uma parte cutuque a Sua vaidade? Ora, El Shaddai, a aurora boreal é um negócio tão lindo, tão grandioso, tão divino, não é justo que siga sendo exibida, ano após ano, apenas para os ursos-polares, as focas e a Björk, não acha, não?

Separação

O rio tinha uns trinta metros de largura e descia forte pelo meio da mata, preto como coca-cola, indo desaguar cinquenta ou setenta metros abaixo, na praia. Do bar, vimos tudo: o homem passar por nós com a vaca, ir até a margem e assoviar pro canoeiro, lá do outro lado. Enquanto o menino magrelo vinha remando, de pé, tentamos afastar a improvável suposição: "Não, não é possível, eles não vão tentar uma coisa dessas", mas aí o rapazinho botou a canoa na areia, puxou a vaca pelas orelhas e você me olhou, aflita.

A vaca se recusava a embarcar: tirava a cabeça das mãos do canoeiro ao mesmo tempo que rebolava, se desvencilhando com uma eficiência desengonçada dos empurrões do dono e dos outros homens que surgiram pra ajudar. Eu tentei te tranquilizar: "Eles devem fazer isso todo dia. Como você acha que a vaca veio? Aqui, só chega de canoa", mas você não pareceu muito convencida e fechou a cara, solidária à vaca.

Eu pedi mais uma cerveja e você me olhou feio, como se fosse um ato de suprema insensibilidade continuar a beber enquanto, a poucos metros dali, o bicho passava pelo aperto. O que você queria que eu fizesse? Proibisse os homens de fazer o traslado? Enfrentasse seus remos e peixeiras brandindo meu iPhone, com as normas internacionais do transporte hídrico de vacunos? Depois de uns minutos, os homens finalmente conseguiram levantar os cascos dianteiros da vaca e o magrelo deslizou a canoa por baixo. Então, fizeram o mesmo com as pernas de trás. Quando empurraram a canoa pro rio, você levantou, eu disse "esquece, senta aqui", mas você foi até lá. Eu fui atrás. Ficamos na margem, assistindo. Você fazendo não e não com a cabeça e repetindo "que absurdo!", "que absurdo!", e eu ensaiando um carinho no seu ombro.

O magrelo remava furiosamente, mas a canoa ia mais rápido em direção ao mar do que à outra margem. Da terra, homens gritavam instruções, como torcedores de futebol agarrados ao alambrado do estádio — e ali ficou claro pra mim que nenhum deles jamais havia atravessado uma vaca na canoa.

Quando o magrelo e a vaca chegaram no meio do rio, onde a água era mais turbulenta, a vaca se apavorou, começou a dar uns pinotes, o garoto tentou contrabalançar alternando o peso nos pés, mas não teve jeito, a canoa virou. No que afundaram, eu pensei que era o fim da vaca. Um bicho tão pesado, pernas finas, não deve saber nadar. Bom, se não sabia, aprendeu bem rápido, pois, uns metros adiante, eis que surge a cabeça e logo o garoto ao seu lado, batendo as pernas e tentando empurrá-la pra terra, pelo pescoço.

Foi uma correria danada, alguém foi buscar outra canoa não sei onde, falou-se em cordas e câmaras de pneu, mas não houve tempo. O rio descia forte, em menos de um minuto a vaca já tava no mar, tinha passado a arrebentação e continuava sua jornada rumo à África, à Oceania, ao céu ou ao inferno dos zebus — vai saber se eles não têm lá suas alminhas, também, diluídas naquele corpão?

Uma semana depois, já em São Paulo, quando você falou sobre o momento que estava vivendo, a vontade de ficar um pouco sozinha e tudo mais, eu ouvi calado e aceitei. Os dois sabemos, contudo, que a relação tinha ido embora sete dias antes, enquanto contemplávamos os olhões assustados da vaca, cada vez mais longe, mar adentro.

É pavê...

Tem gente que se irrita, que suspira e vira os olhos como um filósofo vendo Chapolim ou um cientista lendo o horóscopo, mas eu não. Eu sorrio feliz e contente toda vez que escuto alguém perguntar, diante de um pavê, com a segurança do primeiro ser humano tocado pela luz da inspiração: "É pavê ou pacomê?!". Que coragem. Vivemos sob a égide do grande Deus Photoshop. Começamos tirando as celulites das bundas, passamos a cortar as estrias dos discursos e hoje removemos manchinha por manchinha de nossas feicebúquicas personalidades. Nesta era da performance em que cada ideia é cuidadosamente escanhoada antes de ser posta no mundo, em que cada julgamento é miligramicamente pesado pra se avaliar os seus efeitos — seus likes, deslikes e retuítes —, enfim, nestes tempos bicudos em que a canalhice é perdoada, mas a ingenuidade não, o cidadão me sai com essa: "É pavê ou pacomê?!". Que desprendimento.

Trata-se, evidentemente, de um espírito superior. Um homem acima da moral de sua época, liberto das amarras do século, desplugado dos HDMIs e USBs do *Zeitgeist*, um homem que não tem vergonha de baixar a guarda e mostrar-se desprotegido, como aqueles peladões que, antigamente, surgiam correndo no meio de um jogo de futebol.

Como eram felizes os peladões de antanho, livres e despropositados, ziguezagueando entre jogadores perplexos, fugindo de policiais furibundos. Agora, até os peladões têm objetivos, estratégias, método. Desnuda-se pelo fim da corrupção, contra a pesca do atum, por mais ciclovias na cidade. Tudo bem, é sempre melhor ver ativistas em pelo (ou sem pelo nenhum) defendendo uma causa nobre do que ruralistas vestidos (felizmente) atacando as leis ambientais.

O ponto é que, anarquistas ou sojicultores, despidos ou de burca, fomos todos cooptados pela cartilha do cálculo. No século XXI, até adestrador de cachorro tem assessor de imprensa, pipoqueiro faz *coaching*, refém de assalto a banco imagina, com uma arma na cabeça, como vai capitalizar a experiência ao sair dali: palestra motivacional? Biografia? Autoajuda? Só nosso amigo do pavê não pensa nos efeitos e nas consequências de seu ato: simplesmente segue o impulso. É o último romântico lutando contra as catracas do bom [sic] gosto, da etiqueta, da inteligência.

Como superestimamos a inteligência, não? Goebbels, Stálin, Kalashnikov e o inventor do telemarketing eram todos inteligentíssimos e o mundo passaria bem melhor se em seus lugares tivéssemos um punhado de figuras capazes de desafiar a família, os amigos, os chefes e os colegas de trabalho, sem medo do ridículo ou de retaliações, em nome de uma piada (dita) infame.

"Bem-aventurados os do 'pavê ou pacomê', pois verão a face de Deus", diria Jesus, na Galileia, se na Galileia já houvesse pavê. Não havia — mal havia pacomê —, de modo que os bravos iconoclastas seguem na luta sem o beneplácito de Deus, enfrentando com a cara e a coragem o desdém da sociedade.

Não desanimem, irmãos: saibam que, se não têm o testemunho de Mateus, contam ao menos com o apoio deste modesto cronista, sempre disposto a responder, com a colher em riste e a fé no futuro: "Pacomê!".

Bem-aventurados os puros de coração.

Não quer dar uma olhada na água?

Eu e ela voltávamos de nossa primeira viagem juntos, um fim de semana em Ubatuba. Vínhamos saindo havia dois meses, mas o jogo nem de perto estava ganho: a moça era dura na queda e, apesar de dar alguns sinais de interesse, ainda não parecia convencida de que eu fosse um bom investimento a longo prazo.

Paramos pra abastecer e resolvi calibrar pessoalmente os pneus — menos por necessidade do que pelo gesto, que a meu ver envolvia certo charme viril. Acho que não preciso dizer, mas um cara que vê na calibragem dos pneus certo charme viril está mais pra um Woody Allen do que, digamos, pra um John Wayne. Agachado ali, contudo, me sentia um caubói a ajustar as ferraduras de meu cavalo e quase mascava um fumo imaginário quando ouvi, assustado, a pergunta que me trouxe de volta à realidade: "Você não quer dar uma olhada na água?".

Eu não poderia jamais "dar uma olhada na água", pois não tinha a menor ideia de onde ficava a água, pra que servia a água e, mesmo que a encontrasse, seria incapaz de avaliar seu nível, dando "uma olhada". A pergunta, no entanto, me trouxe a incômoda suspeita de que ela estivesse acostumada a sair com caras que sabiam "dar uma olhada na água". Marlon Brandos em *Um bonde chamado desejo*, de calça jeans e camiseta justa, que voltavam pro carro limpando as mãos num pedaço de estopa e acendendo fósforos na sola da bota. De modo que só me restou fazer uma cara de profissional, responder, resoluto, "claro!" e abrir imediatamente — depois de uns dois minutos de infrutíferas tentativas — o capô.

Após infinitos segundos perscrutando o labirinto do motor em busca de alguma pista, finalmente encontrei algo que parecia auspicioso: uma tampinha sobre um pequeno recipiente cúbico, com um desenho que se assemelhava a um regador de jardim. Do bico da figura, gotejava um líquido. Como ao lado da bomba de gasolina havia um regador muito semelhante ao do desenho, fiz a óbvia conexão mental, enchi o troço até a boca, desrosqueei a tampinha e entornei uns cinco litros pelo orifício.

Só na estrada, já subindo a serra, é que a brotoeja da dúvida começou a coçar. E se aquele galão não fosse o lugar da água? Mal a questão surgiu e, aterrorizado, descobri a resposta, na forma de um pequeno luminoso acendendo no painel: o mesmo regadorzinho do motor, mas, dessa vez, com a legenda sinistra a piscar: "Óleo".

Assumir o erro era impensável. Não queria, de forma alguma, que minhas últimas palavras para aquela bela moça fossem "Desculpa, reguei o motor. Acho melhor chamarmos um guincho". (Entre perder a moça ou o carro, preferia perder o carro, claro.) O jeito era seguir em frente. E foi o que eu fiz, até que, duas horas depois, graças a Deus — e aos engenheiros da Ford, a quem mando aqui meus sinceros cumprimentos —, chegamos a São Paulo.

Imagino que tenha corrido o risco de ficar pelo acostamento, quem sabe até de fundir meu carro, mas não me arrependo:

faz parte da condição masculina enfrentar os perigos com os olhos fechados e a cabeça erguida. Inclusive — e, talvez, principalmente — aqueles perigos em que nós mesmos nos metemos, por conta de nossa obtusa hombridade. No fim das contas, convenhamos, valeu a pena: hoje a moça mora comigo e somos felizes — ou éramos, pelo menos, até a publicação desta crônica.

Vozinha

Quando vejo um desses sujeitos que tentam disfarçar a careca esticando as ralas melenas por cima do cocuruto, de orelha a orelha, me ponho a pensar: será que o infeliz não percebe o fracasso da gambiarra? Não se dá conta de que a lustrosa calva está tão escondida quanto o sol atrás de uma peneira?

Não, ele não percebe, pois o *comb over*, como os americanos chamam este equívoco estético (ou "sobrepenteado", numa descabelada tradução), não é o tipo de mau passo que se dá da noite pro dia, mas o resultado de um lento processo — e se é verdade que devagar se vai ao longe, também é certo que, com a passagem do tempo, podemos nos perder pelo caminho. Numa bela tarde no fim da adolescência, o indivíduo faz um meneio com a cabeça, joga a franja por cima de uma incipiente entrada e nem desconfia que duas décadas mais tarde estará andando por aí com uma persiana apoiada na cachola.

Me solidarizei com a turma do puxadinho capilar ao ser acusado, semana passada, de ser praticante de uma outra modalidade de cega degenerescência, tão comum quanto o *comb over* e, talvez, ainda mais nefasta. Estava num táxi ao lado do Paulão, colega de trabalho, quando terminei uma ligação com a minha mulher: "Nossa, Antonio, nunca imaginei que você fizesse 'vozinha'". Meu mundo ruiu.

Até então, tinha cá pra mim que o tom utilizado pra falar com minha mulher era absolutamente republicano. Simpático, sim, doce, claro, mas jamais, jamais, jamais descambando pra algo que pudesse ser enquadrado como "vozinha" — aquele timbre meloso e infantil que alguns casais adotam, como se a conversa fosse não entre seres humanos, mas entre Ursinhos Carinhosos.

Arrogante, me cria imune a tal despautério, coisa de gente que grita apelidos íntimos na seção de laticínios do supermercado, que se chama de "pai" e "mãe" — e nem sempre na presença dos filhos —, que espreme cravos (próprios e alheios) em logradouros públicos. Ao que parece, contudo, a "vozinha" é como o *comb over*, lenta e insidiosa: você pode estar usando e não sabe. Numa bela noite, no começo da relação, o indivíduo diz um sóbrio "eu te amo" ao se despedir da namorada: nem desconfia que, duas décadas mais tarde, estará no elevador da firma, ao celular, "Titchucão num qué disligá! Diliga voxê, Titchuquinha!".

Me defendi atacando. Meu colega não podia fazer tamanha acusação sem apresentar provas cabais. Com um sorriso no rosto, Paulão disse apenas — numa voz alterada — "Oi, coisica linda!". "Tchau, coisica linda." "E rolou uns seis ou sete 'pequenota' também." Então, dando a estocada final, perguntou: "E ela? Te chama de quê?". Fazendo uso do direito constitucional de não apresentar provas que possam ser usadas contra mim, permaneci calado durante o resto do trajeto.

Ontem, tive uma conversa séria com minha mulher. Temos que parar com isso. Ela jura, contudo, que nosso tom não configura "vozinha" e que há um enorme fosso entre o carinhoso e o Xou da Xuxa. Não sei, não. Também os carecas, diante do espelho, todas as manhãs, devem repetir mantras de autoengano, enquanto puxam as costeletas pro alto e as encharcam de laquê. É ou não é, Titchuquinha linda do Titchucão?

O engano

É assombroso que em pleno século XXI, cento e trinta e cinco anos depois de Graham Bell ter inventado o telefone, ainda haja pessoas incapazes de aceitar esta situação tão banal da vida cotidiana: o engano. Sem dúvida, o leitor sabe do que estou falando: no meio da tarde você atende a uma chamada e, do outro lado da linha, uma voz estranha pergunta: "Alô, Waldemar?".

Seu nome não é Waldemar. Você não se casou com um Waldemar nem batizou assim qualquer um de seus filhos, de modo que só há uma explicação: foi engano. Você engole o pequeno mau humor que escorre dos segundos perdidos, aceita a frustração de ter se imaginado necessário ou querido em algum canto da cidade, no meio da tarde, quando, na verdade, era de um Waldemar que precisavam; você diz, seco, mas não antipático: "Amigo, aqui não tem nenhum Waldemar: foi engano", e já está tirando o telefone da orelha, pronto a voltar a seus afazeres, quando a voz ressurge, indignada: "Como assim não tem nenhum Waldemar?".

Como assim, "como assim?!"?! O que passa pela cabeça do

cidadão? Que você é o Waldemar, mas está mudando a voz e fingindo ser outro só pra não atendê-lo? Ou que você é um assaltante e invadiu a casa do Waldemar — que agora tenta gritar, amordaçado e amarrado a uma cadeira, enquanto você arromba o cofre: "Mmmm! Mmmm!"?!

Você respira fundo. Sabe que, se for arrancar os cabelos toda vez que lida com seres estranhos numa cidade como São Paulo, muito rápido estará igual ao Kojak. Diz apenas, paciente e didático: "Olha, amigo, eu não me chamo Waldemar, não mora nenhum Waldemar nessa casa, foi en-ga-no, entendeu?".

Não, ele não entendeu. Estamos lidando com um maníaco, um homem cuja disfunção neurológica o impede de compreender os desvios dos polegares, dos satélites, das linhas telefônicas. Inconsolável, ele se debate: "Mas não pode ser! Me deram esse número! Disseram que era do Waldemar!". Zen, você insiste: "Amigo, te deram o número errado, ou você teclou errado, sei lá, é muito comum, foi ENGANO!".

Seguem-se alguns promissores segundos de silêncio. Você acha que ele enfim se convenceu, que desligará o telefone e dirá à mulher "Aurélia, você não sabe que coisa assombrosa! Liguei pro Waldemar e atendeu outro homem!", mas a voz reaparece, acusatória: "Então, qual é o seu número?!".

Aí já é demais. Seu número, você não dirá. Não sabe o sujeito que a Constituição brasileira garante a presunção da inocência? Não sabe que, de acordo com a velha máxima latina, *in dubio pro reo*, cabe à acusação provar que você é — ou esconde — o Waldemar, e não a você provar que não é — ou não o esconde?

Catando no fundo da alma a última migalha de generosidade, você pergunta: "Que número você ligou?". Ele diz o número. Evidentemente, não é o seu. Você mostra pra ele o equívoco: "Olha aqui, o meu é cinco oito, não três oito, tá vendo?". Pasmo e contrariado, ele finalmente aceita a situação, despede-se rispidamente e desliga.

Você pode então — Jesus seja louvado! — voltar a seus afazeres. A saber: dar mais um aperto na corda que amarra o Waldemar e continuar o arrombamento do cofre.

A jarra

Faz alguns dias que a minha mulher voltou de viagem, mas a mala continua no meio da sala, escancarada, como se as roupas, presentes, canhotos de ingressos, revistas e papéis de embrulho que de lá transbordam pudessem postergar um pouco o inadiável fim das férias. É desse heteróclito conjunto que vejo despontar a jarra.

Minha primeira reação é de curiosidade: será isso mesmo o que estou vendo? Terá minha mulher cruzado mares e continentes trazendo na bagagem uma jarra de vidro? Desembaraço-a das mangas de um moletom, retiro do seu bojo os jornais amassados que lhe garantiram a sobrevivência na longa travessia, sinto seu peso em minhas mãos.

É uma jarra grande, bonita. Deve caber ali um litro e meio de suco, talvez mais. Enquanto contemplo a sólida delicadeza daquele objeto, sou tocado por uma dessas pequenas epifanias: que coisa curiosa é uma mulher. Que coisa incrível.

Jamais me ocorreria comprar uma jarra de suco. A própria ideia de suco, aliás, não me surge assim tão naturalmente. Há sucos em casa, é verdade, e tomo um ou dois copos diariamente, mas o faço quase como um exercício, um esforço civilizatório. Se fosse solteiro, não creio que beberia suco. Se não existissem mulheres no mundo, o suco provavelmente jamais haveria sido inventado — teríamos ido direto do fruto à fermentação, sem escalas. Está provado que homens casados vivem mais. Está provado que as viúvas são mais longevas do que os viúvos. Não fosse a metade delicada e cheirosa da espécie, nós, ogros, nos acabaríamos em costelinhas de porco e cerveja, de pijama e barba por fazer, assistindo a campeonatos de vale-tudo na televisão. É diante de um desses limitados primatas que a jarra emerge, portanto, do meio da mala, como o monolito em 2001: *Uma odisseia no espaço* — um exemplo de harmonia, uma promessa de ordem, progresso e beleza.

Não sou muito dado a discussões estéticas, confesso que sei pouco sobre questões de forma e conteúdo, mas está claro pra mim que uma jarra dessas exige um suco de superior qualidade. Não ousaria conspurcar seu corpo cristalino com adocicadas polpas de caixinha. "Baterei frutas! Espremerei laranjas!", digo alto, brandindo a jarra tal qual um colono com seu machado diante da natureza indócil, a proclamar: "Derrubarei árvores!", "Construirei diques!", "Farei desta selva uma cidade!" (A selva, evidentemente, sou eu.)

Pondo a jarra sobre a pia da cozinha, logo percebo que, para honrar sua presença, não bastará o suco puro e fresco. É preciso arrumar uma bela mesa de café da manhã. É fundamental uma noite bem-dormida. Um dia ensolarado. É mister ter cortado as unhas dos pés. Vou jogar fora os copos de requeijão. Penso seriamente em começar a nadar. Eu juro, meu amor, que farei o que estiver ao meu alcance para merecer essa jarra de suco que trouxeste de terras distantes.

Sei que é uma batalha perdida — como todas, aliás —, mas é nesta luta que me salvarei, que todos nos salvamos, das forças funestas que nos puxam de volta para a selva, nos arrastam para a costelinha, para a cerveja, para a final do UFC, às três e meia da madrugada, na televisão. Que beleza nossa nova jarra. Que coisa incrível é uma mulher.

"Felicidade, sim"

Vivi por trinta e quatro anos sob o jugo do chuveiro elétrico. Ah, lastimável invento! Já gastei mais de uma crônica amaldiçoando seus fabricantes; homens maus, que ganham a vida propagando a falácia da temperatura com pressão, quando bem sabemos que, na gélida realidade dos azulejos, ou a água sai abundante e fria ou é um fiozinho minguado e escaldante sob o qual nos encolhemos, o cocuruto no Saara e os pés na Patagônia, sonhando com o dia em que, libertos das inúteis correntes (de elétrons), alcançaremos a terra prometida do aquecimento central.

Reclamo de barriga cheia? Sem dúvida. Há problemas bem mais sérios neste mundo, mas sejamos honestos: a morte do vizinho não anula a minha dor de dente — e um banho ruim é dez vezes mais triste que uma dor de dente. Afinal, um molar, quando para de doer, não é capaz por si só de nos dar alegria. Já o banho, quando é bom... Que contentamento uterino é ter a pele envolvida por água abundante, sentir o jorro de 45°C, no auge do inverno; orgasmo da epiderme!

Dizem os psicanalistas que, quando pequenos, temos prazer em cada centímetro do corpo. Com o passar do tempo, contudo, também a pele vai sendo adestrada e a libido acaba restrita às *red light zones* de nossas íntimas moradas. Eis a nossa sina, buscar em vão o Éden perdido: na mulher amada, nas religiões, nas drogas, ou — por que não? — numa ducha quente. Durante a infância, ouvia minha mãe reclamar do banho e lamentar, frustrada, que não valia a pena fazer reforma numa casa alugada. Aos vinte, fui morar sozinho e me vi repetindo o mesmo discurso; vicissitudes do inquilinato. No mês passado, contudo, depois de ter casado, juntado os trapos e os FGTS, conseguimos um financiamento e atingi, ao mesmo tempo, o sonho da casa própria e do aquecimento central. Com um boiler pra chamar de meu, pensei, meus problemas haviam acabado. Toda melancolia escorreria pelo ralo. Cheguei a imaginar que a metafísica não fosse, como disse o asno de Sancho Pança, uma decorrência do estômago vazio, mas do incômodo térmico: não seriam os pés frios a razão de querermos anular o corpo e inventar outras realidades — mais morninhas? Houvesse aquecimento central na idade da pedra, teríamos necessitado dos deuses? Tivesse Descartes um bom chuveiro, talvez não desconfiasse tanto dos sentidos, a ponto de dizer que só pelo pensamento podia afirmar sua existência.

Pois bem, mudei: por vinte e nove dias e vinte e nove noites fui feliz como um bebê no líquido amniótico. Se, no meio da tarde ou da noite, o tédio ou a tristeza me visitavam, lembrava do último banho, imaginava o próximo e sorria, satisfeito. Até que, na trigésima manhã, esta manhã de terça, da qual jamais me esquecerei, me peguei sob a ducha quente pensando numa conta atrasada e resmungando sobre a fila do banco. O banho virara apenas mais um acontecimento banal, feito escovar os dentes ou cortar as unhas, e entendi, alheio à pressão e à temperatura, que nenhuma felicidade sobrevive à repetição. Trinta e quatro anos desejando; vinte e nove dias pra perder a graça. Injusta é a matemática da vida.

Eu não nasci de óculos

Estilo não é um troço que você escolha da noite pro dia. Não há um momento X no despertar da mocidade em que seus pais o convoquem, acompanhados pelo rabino, o padre ou o pastor, mais um colegiado de anciãos, e perguntem: "Então, cria minha, chegou a hora: serás punk? Yuppie? Almofadinha? Pit boy? Mano? Intelectual com a barba por fazer? Ou crente de terninho bege?".

Estilo é o resultado de milhares de microdecisões tomadas (ou não tomadas) ao longo de muitos anos, escolhas que vão aos poucos definindo desde a postura dos nossos ombros até a cor das nossas meias. Por isso, como descobri na semana passada, após duas horas penando numa ótica, é tão difícil comprar uma armação de óculos: ali você tem que decidir — ou ao menos, vá lá, revelar a si mesmo —, num instante, quem você é.

Comecei pelos mais discretos. Armações finas, prateadas ou pretas, com fio de nylon na parte de baixo das lentes. Pareciam o.k. Afinal, eu não queria uns óculos com proposta, queria? Não. Não queria óculos que fizessem com que, digamos, um frentista perguntasse pro outro "de quem é o troco, Lima?", e ouvisse como resposta, "do artista, ali", ou "do John Lennon, ali", ou "do cara que pegou os óculos do avô, ali". Realmente, os mais discretos me caíam bem. No entanto, pareciam tão sem graça...

Por curiosidade, experimentei um daqueles oclões de acetato preto. Gostei do que vi, mas, ao mesmo tempo, me senti uma fraude. Aquelas armações vendiam um homem mais moderno do que eu. Mais antenado. Me imaginei indo à padaria, uma equipe de TV me aborda: "O que você achou do último filme do Sokurov?". Sokurov? Não, amigo, eu só tava indo comprar pão.

Do acetato preto, migrei pra armação de tartaruga: uma proposta vistosa, também, embora um tantinho mais conservadora. Novamente, me senti em dúvida. Óculos de tartaruga são pra quem já leu pelo menos metade da obra de Proust, pra quem tem a Cultura na memória 1 do rádio do carro. Se estivesse com uns óculos daqueles e tocasse Red Hot Chili Peppers, eu teria que fechar os vidros. Não, não.

O problema, descobri então, perdido entre plásticos vermelhos e arames bege, é que duas forças lutavam por minha hegemonia: de um lado, queria óculos que não dissessem nada sobre mim, que fossem simples como um copo d'água. De outro, queria, sim, colocar um gelo e limão em meu aspecto. Por que não?

Eu venho de um nicho, de um grupo, como qualquer pessoa. Qual o problema de afirmar, nas curvas, na espessura, na cor e no material dos meus óculos, a visão de mundo que eu, consciente ou inconscientemente, endosso? Sei lá, o que sei é que depois de duas horas me olhando no espelho, o copo d'água venceu o gelo e limão e acabei ficando com uma das primeiras armações, fina e discreta.

O que também não deixa de ser, percebo, uma declaração de princípios. "De quem é o troco?", pergunta um frentista ao outro. "Daquele cara ali que por covardia, por timidez, por or-

gulho, até, quem sabe, não quer dizer nada com seus óculos."
"Boa observação, Lima. Cê devia largar o posto e fazer uma pós em semiótica, sabia?" "Tô ligado. Aqui o troco, chefia. Quer que dê uma olhada no óleo?"

Forrando a própria cova

Se você está bem com seu namorado, namorada, marido ou esposa, se acha que encontrou sua cara-metade e que nada pode abalar vossa paz, sugiro um teste: experimentem, juntos, forrar um quarto com papel de parede. Caso, meia hora após o início das hostilidades, digo, das atividades, ainda houver um vínculo afetivo entre os dois, pode crer: é amor de verdade, desses capazes de perdurar na alegria e na tristeza, na saúde e na doença, de sobreviver a shoppings em véspera de Natal e até — Deus lhes poupe — ao nascimento de trigêmeos.

Colar papel de parede em casal lembra muito estar perdido de carro em casal: acusações mútuas, soluções antagônicas, ansiedade, desespero. A diferença é que, ao se perder de carro, você fareja o perigo, respira fundo e procura mentalmente as barras antipânico que os levarão pra longe da escaldante tensão conjugal.

Ao papel de parede, contudo, os amantes se entregam álacres, ternos e tenros como as criancinhas ao mar no filme *Tubarão*. Afinal, trata-se de uma melhoria para a casa, um gesto em nome da beleza, um desses bucólicos projetos dominicais que parecem trazer consigo a confirmação de nossa felicidade, tipo fazer pão, tomar banho de banheira, ir à Pinacoteca. Como desconfiar que a meiga estampa colorida é o forro da tumba em que será sepultado o casamento?

Você se lembra da época não tão remota em que colávamos adesivos no carro durante as eleições? Então deve se recordar que, por mais cuidado que tomássemos, sempre ficava uma ou outra bolha de ar. Agora, imagine dezoito rolos adesivos de 1,20 metro × 2 metros sendo aplicados a quatro mãos — é esse o tamanho da encrenca.

Subindo em duas cadeiras, você e sua cara-metade colam a pontinha do primeiro rolo, lá no alto. O desafio é os dois irem puxando o papel vegetal por trás, desenrolando e colando o troço de cima pra baixo, SIMULTANEAMENTE. Um milímetro que um lado (i.e., um cônjuge) vá mais rápido que o outro, o papel engruvinha — e, acredite, a não ser que vocês tenham feito anos de nado sincronizado ou sido discípulos do sr. Miyagi, vai engruvinhar.

Adiantando o lado retardatário, vocês tentam reparar o erro, mas só piora: estrias diagonais surgem de ponta a ponta. Aí, começam as acusações. Um diz que o outro foi lerdo, o outro diz que o um é que se apressou. (Toda essa discussão, lembre-se, está sendo travada em cima de cadeiras e com as mãos pra cima, encostadas na parede.) O mais afoito dos dois (aquele acusado de acelerar) sugere descolarem a parte que engruvinhou e colar de novo. O mais cauteloso (o acusado de atrasar) discorda. O afoito, contudo, não quer nem saber e puxa o papel: as bolhas e estrias somem, assim como uma faixa de 1,20 metro × 10 centímetros de tinta e massa corrida, arrancada pelo adesivo.

O afoito tenta colar de novo, mas o volume das cascas de tinta e massa corrida fica evidente — parece um tapete estendido sobre a areia da praia. Vocês olham a parede. Só trinta centímetros do primeiro rolo foram aplicados. Ainda faltam 35,7 metros. Vocês se olham. Estão juntos há seis anos. Pensavam em ter filhos, em fazer pão em casa aos domingos, tomar banhos de banheira, visitar a Pinacoteca e quem sabe até, um dia, forrar aquele quarto com um belo papel de parede.

Expiar

Estava trabalhando na varanda, com o laptop no colo, quando ouvi a batida, leve e abafada, no jardim. Olhei para a frente ainda a tempo de ver o pequeno borrão quicando na grama. Demorei um pouco pra entender do que se tratava: um passarinho, recém-caído do céu, agora jazia inerte a dois metros de mim. Morto?

Eu, nascido e criado em apartamento, jamais havia presenciado a morte de um passarinho. Então é assim? Uma bela tarde tá ele lá voando, minhocando suas caraminholas e, ploft!, despenca das nuvens?

Não deixa de ser poético. Sempre discordei desse povo que torce pra morrer dormindo. Quando a indesejada das gentes chegar, também quero ser pego em pleno voo; aos cento e vinte e quatro, claro, mas bem desperto, pra poder olhar ao redor uma última vez, dizer "ah, então era isso?", encarar a estraga-prazeres de frente, dar-lhe uma banana e, enfim, deixar de existir.

Um movimento na grama, contudo, me sugeriu que ainda era cedo para as funestas divagações: o pássaro não estava morto. Com dificuldade, se ergueu e assim ficou, petrificado. Da minha cadeira, vi seu coração pulsando, aflito como as últimas voltas do pião. Levantei com cuidado pra não assustar o bicho e fui até ele. Nem se mexeu. Mais alguns suspiros e já era, pensei, consternado. Passarinhos são os padroeiros dos cronistas. Machado de Assis comparou o folhetinista ao colibri, "que salta, esvoaça, tremula [...] e espaneja-se sobre todos os caules suculentos". O primeiro livro de Rubem Braga foi *O conde e o passarinho*. O último do meu querido Humberto Werneck chama-se *O espalhador de passarinhos*. Fernando Sabino tem uma crônica antológica sobre o sabiá. "Bichos do sítio", um dos lindos textos do recém-lançado *Certos homens*, do Ivan Ângelo, começa com um urubu e termina com uma galinha. (Passarões, é verdade, mas pássaros, mesmo assim.)

O mínimo, portanto, que eu podia fazer pelo nobre colega era proporcionar alguma dignidade a seus instantes finais. Pensei em botar um Chet Baker pra tocar, mas me pareceu exagerado. (Além do mais, vai saber de seus gostos musicais? Imagino não haver nada pior, na hora da morte, do que uma trilha sonora equivocada.) Me contentei em lhe trazer um pires com água fresca. (Não sei por quê, mas me veio a ideia de que morrer dá uma sede danada.)

Por quinze minutos ficamos ali, frente a frente. Um quarto de hora durante o qual ele não moveu, literalmente, uma pena. Então, como se fosse a coisa mais natural desse mundo, chacoalhou a cabeça, gingou com o pescoço no melhor estilo Axl Rose, deu um salto de cento e oitenta graus e saiu voando — não sem antes deixar sobre o pires um sinal inconteste de vitalidade e, sobretudo, de humor: um belo e alvinegro cocô de passarinho, teste de Rorschach em que vi estampada a minha ignorância sobre a morte, sobre a vida e, acima de tudo, sobre passarinhos.

Voltei à poltrona, pus o laptop no colo e retomei minhas chãs escrevinhações.

(M?) (H?)otel

A pergunta que me faço sempre que passo pelo luminoso, há anos, é se estamos diante de um M disfarçado de H ou de um H que finge ser M. Embora as duas hipóteses encontrem argumentos, tendo a me inclinar em direção à primeira: trata-se de um motel envergonhado.

O estabelecimento fica quase na Raposo Tavares — e é esse "quase", acredito, que explica sua indecisão. Logo ali, menos de três quilômetros adiante, os Ms já não terão pudor de exibir seus rubros decotes à beira da estrada: Motel L'Amour, Motel Belle, Sedutti e Fox Trot Motel. Uma estrada, contudo, é uma estrada, uma cidade é uma cidade. O ambíguo luminoso brilha entre uma imobiliária e uma casa de família: suas piscadelas vão para os trabalhadores no ponto de ônibus, para os estudantes da USP, para a secretária que, a caminho do metrô, compra uns chocolates do ambulante. É melhor que as lâmpadas brancas não esclareçam totalmente os contornos da moldura vermelha: assim, só quem sabe o que busca verá, na austera cama do H, o púbis desnudo do M.

46

Ou não — como diria o poeta. Afinal, por que teria de se esconder, um motel? Um motel não é um bordel. Ninguém se choca com sua existência. Associações de bairro não tentam evitar sua construção. Pastores, padres ou o papa, até onde eu sei, jamais fizeram dele o alvo de seus recalques. Será que, em vez de um motel envergonhado, estamos diante de um hotel atrevido? Um pequeno hotel cujo peso das contas a pagar, todo mês, acabou por flexibilizar a retidão do H, levando-o a ampliar seu público? Se o caminhoneiro cansado quiser dormir algumas horas antes de seguir pra Sorocaba, encontrará uma cama limpa. Se o casal afobado não aguentar chegar à Raposo, terá uma cama redonda.

Motel acanhado ou hotel saidinho, a mesma dúvida me traz: como lidará a clientela com tal indecisão gráfica e mercadológica? Convenhamos, a única concordância entre quem busca o sono e quem procura o sexo é sobre a conveniência de um colchão: afora isso, tudo os separa. Uns aspiram ao silêncio decorativo, no qual espelharão a tranquilidade domiciliar, outros desejam exatamente o contrário, o estímulo excêntrico que os faça esquecer do tédio do lar.

Tentar unir roncos e gemidos parece uma receita para o fracasso e, no entanto, o negócio resiste, há anos. Me ocorre agora que ele talvez perdure não apesar da ambiguidade, mas justamente por causa dela. As lâmpadas brancas, sem esclarecer totalmente os contornos da moldura vermelha, não são a senha pra quem sabe o que busca, mas um convite aos trabalhadores no ponto de ônibus, à secretária comprando chocolates, ao ambulante, aos estudantes da USP, ao caminhoneiro a caminho de Sorocaba. Quem sabe se as promessas de aventura do motel, somadas ao lastro de segurança de um hotel, não trazem vez por outra certas ideias a esses incautos pedestres que, em busca da cama austera do H, acabam seguindo a seta do M? Talvez as duas letras, mais do que divergentes, sejam consoantes.

Meias

A gente sempre pensa que a mudança virá de grandes resoluções: parar de fumar, pedir demissão, declarar-se à Regininha do Comercial. Às vezes, contudo, são as pequenas atitudes que alteram definitivamente o rumo da nossa vida. Ontem, por exemplo, pela primeira vez desde que me conheço por gente, saí pra comprar meias. Sou um novo homem.

O leitor pode achar que estou exagerando. É que não teve o desprazer de conhecer a minha gaveta de meias até vinte e quatro horas atrás. Mais parecia um saloon de Velho Oeste: poucos pares estropiados em meio a pés desconjuntados — tenazes sobreviventes de diferentes etapas da minha vida.

As três brancas, de algodão, haviam sido ganhas na compra de um tênis de corrida, lá por 98. A marca da loja, escrita no elástico esgarçado, já quase não se lia. Pior que as brancas estavam as azuis, da Varig, do tempo em que a ponte aérea era feita pelos Electras e as aeromoças davam brindes, não broncas. Os pés da meia azul não tinham curva no calcanhar nem na canela: assemelhavam-se a coadores de café dos Smurfs. O elástico era frouxo, mas o laço afetivo não, de modo que eu as seguia usando, ano após ano, mesmo diante dos encarecidos apelos da minha mulher. Em bom estado mesmo só as cinza, com losangos vinho, que peguei pra completar o valor na troca de uma jaqueta, presente de Natal em, sei lá, 2002. Era a minha "meia de sábado", aquela que vestia pra jantares, casamentos e entrevistas de emprego. Além dessas havia mais três ou quatro, que de tão ordinárias nem merecem comentário.

Uma vida com poucas meias é uma vida de expectativa e ansiedade. Toda manhã aquele suspense ao abrir a gaveta: quais estariam ali, quais andariam na longa peregrinação que passa pelo cesto, pela máquina, pelo varal — e, a se julgar pela demora, talvez por Meca, Fátima, Juazeiro do Norte e Jerusalém?

Cheguei ao fundo do poço na sexta, 31, dez da noite. Minha mulher batia na porta do banheiro, me apressando para a ceia, enquanto eu, sentado no chão de azulejos, encaixava as meias cinza na boca do secador de cabelos. Não queria virar o ano com os pés úmidos, nem gostaria que todos me vissem com as velhas meias da Varig quando tirasse os sapatos pra pular sete ondinhas. Naquele momento de angústia, por trás do ruído aeronáutico do secador, dos meus gritos e dos gritos de minha mulher, pude ouvir uma voz grave, que vinha de toda parte e de parte alguma: "Antonio: tu és homem-feito. Pagas as contas e impostos em dia. És casado, asseado, vacinado: por que vives nesta penúria podal?".

Se eu soubesse como era fácil, tinha feito antes: nem cem reais, caro leitor, custou minha alforria. Hoje, se quiser, posso ir a três entrevistas de emprego, dois jantares, seis casamentos e jogar futebol, no mesmo dia, sem repetir as meias. Não voltarei a pensar nesse assunto por uma década, no mínimo. Quer dizer, mais ou menos: pois enquanto contemplo a gaveta multicolorida — de saloon do Velho Oeste, transformou-se em baile da corte — minha mulher aparece no quarto, segurando as meias da Varig com as pontas dos dedos, como se fossem camisinhas usadas: "Posso jogar no lixo?".

A gente sempre pensa que difícil é tomar as grandes decisões: parar de fumar, pedir demissão, declarar-se à Regininha do Comercial. Às vezes, contudo, são as pequenas escolhas que mais dilaceram o coração.

O fim de (quase) tudo

Na manhã do dia 1º, meu amigo me liga, deprimido:

— Você sabia que o mundo vai acabar?

Penso ser uma dessas bobagens que misturam calendário maia com filme-tragédia e começo a desancar o marketing hollywoodiano, as superstições mundanas, os apocalípticos de Facebook, mas meu amigo explica que não é nada disso. Viu num documentário que a Terra acabará daqui a uns bilhões de anos, quando o Sol, tendo esgotado seu combustível, dará um último suspiro, transformando-se numa gigante vermelha e engolindo nosso simpático planeta azul. Ficamos um tempo em silêncio, os dois pensando nesta imagem bela e terrível: a bola de fogo consumindo o Everest, a Teodoro Sampaio, os avestruzes, os casais apaixonados, as usinas nucleares e as fronhas nos varais.

— Olha, não chega a ser exatamente um consolo, mas daqui a uns bilhões de anos nem eu nem você vamos mais estar por aí...

— Eu sei, mas eu achava que a humanidade ia continuar. Que o teto da Capela Sistina, as gravações do Cartola, os poemas do Walt Whitman e os peitos da Eva Green em *Os sonhadores*

51

ficariam pra sempre, só que tudo vai desaparecer... Isso não te angustia?!

— Não quero parecer muito egoísta, mas o que vai ser das pinceladas do Michelangelo depois que eu bater as botas não tá entre as minhas maiores preocupações.

— Pois tá entre as minhas. Antes, eu achava que o mundo era eterno e que se eu escrevesse um livro muito bom [meu amigo é poeta], esse livro ia se juntar a todas essas coisas que permanecem. Mesmo que ficasse no fundo de uma biblioteca, numa estante perdida entre um zilhão de estantes, ia estar lá: minha pequena colaboração para a humanidade. Você nunca quis produzir algo que sobrevivesse a você?

— Sinceramente? Concordo com o Woody Allen quando disse que não queria atingir a imortalidade através da sua obra, preferia atingir a imortalidade não morrendo. Uma vez cadáver, que diferença faz ser ilustre ou desconhecido? Ruim mesmo é nunca mais comer uma chuleta na brasa, é ou não é?

Meu amigo não responde. Parece um tanto decepcionado com a minha insensibilidade. Procurou um ombro fraterno pra chorar a transformação de toda a poesia em poeira cósmica e eu venho com chuleta na brasa? Lembro, então, de algo que li num livro e que pode melhorar a situação:

— Calma! Nem tudo vai acabar: mesmo depois do fim da Terra, as ondas de rádio que emitimos continuarão se propagando por aí.

— Quer dizer que das obras completas da humanidade vai sobrar só o conteúdo das FMs?!

— E das AMs também.

Percebo minha gafe, mas é tarde. Meu amigo se desespera. Shakespeare virará pó, as pirâmides maias virarão pó, dos movimentos dos bailarinos e bailarinas do Grupo Corpo não restará sequer memória, mas a voz do Michel Teló, agora mesmo, viaja

52

pela Via Láctea — e se em algum canto houver vida inteligente com um radinho ligado, o legado da nossa passagem pelo cosmos ressoará, eternamente: "Ai, se eu te pego, ai, ai, se eu te pego!".

Realmente, motivos pra se deprimir é que não faltam.

Plano

Descobrir qual é a atividade profissional mais bem remunerada. Fazer cursinho. Prestar vestibular pra área. Ser o primeiro da classe. Arrumar um emprego. Ralar, sem pensar em outra coisa, até juntar vinte milhões de dólares. Pedir demissão. Comprar um sítio em Jundiaí. Construir um galpão subterrâneo. Adquirir as mais modernas impressoras industriais. Contratar excelentes artistas e produtores gráficos. Instalá-los no bunker.

Descobrir quais são os dez países em que mais se estudam e se montam peças do Shakespeare. Contratar quadrilhas especializadas em roubo nos dez países. Surrupiar das bibliotecas públicas e privadas, lenta e discretamente, o maior número possível de edições de *Hamlet*. Mandá-las pra Jundiaí.

Produzir versões fac-símiles destes livros, idênticas em tudo às originais, do couro da capa ao amarelo das páginas, a não ser por um detalhe: a inclusão de uma frase no final do segundo ato, uma ameaça do príncipe da Dinamarca a Cláudio, assassino e usurpador do trono de seu pai: "Ai, se eu te pego, ai, ai, se eu te pego!". Devolver as edições adulteradas às bibliotecas. Queimar as originais.

Comprar anônima e paulatinamente, nos sebos destes mesmos países, todas as edições de *Hamlet* que se puder encontrar. Mandá-las pra Jundiaí.

Produzir versões fac-símiles destes livros, idênticas em tudo às originais, dos furos das traças às manchas de café, a não ser por um detalhe: a inclusão de uma frase no final do segundo ato, uma ameaça do príncipe da Dinamarca a Cláudio, assassino e usurpador do trono de seu pai: "Ai, se eu te pego, ai, ai, se eu te pego!". Doar as obras adulteradas aos mesmos sebos em que foram compradas. Queimar as edições originais.

Comprar o silêncio das quadrilhas e dos artistas gráficos. Se preciso for, pagar mais às quadrilhas pra matar os artistas gráficos e depois exterminar, pessoalmente, as quadrilhas.

Contratar hackers pra adulterar as versões on-line de *Hamlet* e incluírem a frase "Ai, se eu te pego, ai, ai, se eu te pego!" no final do segundo ato. Comprar o silêncio dos hackers. Se preciso for, matar os hackers.

Sequestrar o crítico literário Harold Bloom. Mandá-lo pra Jundiaí. Obrigá-lo a inventar uma explicação qualquer pra omissão do trecho "Ai, se eu te pego, ai, ai, se eu te pego" nas diversas edições da peça que porventura eu não conseguir substituir. O erro de uma gráfica londrina, em 1756? A mão pesada de um editor marselhês, em 1809? Obrigá-lo a escrever um ensaio sobre *Hamlet* e citar, numa nota de rodapé, a omissão do trecho. Mandar o ensaio pra *Oxford Literary Review*. Dinamitar o bunker — com Harold Bloom dentro.

Esperar duas décadas.

Viajar pra Inglaterra. Reservar um camarote pra assistir a *Hamlet*, no Royal Shakespeare Theatre, em Stratford-upon-Avon. Mandar fazer um smoking sob medida. Contratar uma acompanhante eslava, loira, de olhos azuis e 1,82 metro. Ir ao teatro com Nadia ou Milka ou Zora. Pedir uma garrafa de champanhe Cristal. Dar o último gole três segundos antes do final do segundo ato e ouvir o melhor ator da Royal Shakespeare Company recitar, pra mil e quinhentos homens de paletó e mulheres cobertas de brilhantes: *"Oh, if I catch you, oh, oh, if I catch you!"*.

Voltar pra Jundiaí e passar o resto dos meus dias criando curiós.

Sobre heróis e tubas

Ali estava ele, segurando sua tuba; ali estava eu, encarando-o. Não, não éramos só nós dois: ao meu redor, na plateia, havia centenas de pessoas; no palco, junto a ele, toda a orquestra, mas aos poucos, logo após a assombrosa constatação de que no cosmos, entre cometas e guerras civis, bromélias e ortodontistas, há também tubas e tubistas, os músicos e o público foram gradualmente se apagando, até que ficássemos só eu e aquele homem — baixinho, meio careca, bochechudo —, lendo a partitura e esperando o momento de tocar seu desengonçado instrumento.

Impossível não se perguntar: que soma de escolhas, acasos, sortes e azares haviam feito com que o sujeito viesse a ganhar a vida assoprando o ar de seus pulmões pelos intestinos daquele luminescente alambique? Como se escolhe dedicar a existência a emular cômicas flatulências pelo enorme lírio metálico?

Não se escolhe. Convenhamos: nenhuma criança se senta à mesa do café e comunica: "Mamãe, papai, desisti de ser astronauta, desencanei do futebol, agora quero ser tubista!". A tuba é um acidente de percurso. O cara devia almejar a guitarra, a bateria, o saxofone, mas chegou atrasado à primeira aula de música, todos os instrumentos já haviam sido escolhidos, sobrou apenas a tuba — fazer o quê? —, se só tem tuba, vai tu mesmo.

Lembrei dos recreios no ginásio. Dois garotos selecionavam os jogadores dos seus times e eu, sempre um dos últimos a ser escalado, invariavelmente acabava como goleiro. Como goleiro, aquele sujeito também ficava no fundo, também passava longos períodos inerte: os violinos, sempre requisitados, correm como centroavantes, o contrabaixo e o piano, no meio-campo, fazem a ponte incessante entre a defesa e o ataque, mas meu companheiro permanecia em silêncio, solitário em sua espera, uma parte de seu cérebro acompanhando a partitura, outra pensando nas contas a pagar, no carro novo do cunhado, no umbigo da Scarlett Johansson.

Os goleiros correm menos, verdade, mas correm: pois uma hora também chegou a vez do tubista; ele pôs a boca no instrumento, arqueou as sobrancelhas e mandou uma meia dúzia de fons, funs e fãns. Ao ouvir aquelas poucas notas, um processo curioso se deu: toda a pena que eu sentia se foi e eu ri. Não da tuba, mas dos outros instrumentos que, subitamente, passaram a me exibir as suas ridículas pretensões. Os violinos, petulantes, violoncelos, pedantes, a harpa — meu Deus! A harpa! Quem ela pensa que é?! —: todos aspiram a outras realidades, buscam a transcendência, só a tuba, em seu desconjunto cômico, é sincera. Não busca a piada fácil e estridente de caixa e prato, mas faz um humor grave, capaz de nos mostrar o avesso do mundo sem um sorriso no rosto. Cruzamento de ganso com locomotiva, sua epiderme solar não esconde a alma de hipopótamo. E o que é um solo de tuba senão a dança dos hipopótamos, de colares havaianos, em *Fantasia*? Pesados, desengonçados, feios: e, no entanto, dançam.

Abril, maio, junho

Abril, logo mais é maio, depois junho — e essa simples constatação me deixa um pouco desanimado. A passos largos, nos afastamos dos confetes de fevereiro, ainda não se veem no horizonte os rojões de dezembro, é como se estivéssemos presos numa longa terça-feira incrustada na barriga do ano. Em janeiro há sol e sal, projetos, expectativas no ar. De fevereiro e do Carnaval, nem se fala. (Se o mundo entrasse em guerra pelos meses do ano, eu pegaria em armas pra ajudar nosso país a conquistar fevereiro.) Março é um janeiro redivivo — agora vai! São lançados livros, filmes, discos e programas de TV; a gente trabalha com vontade, se matricula na academia, olha em volta curioso pra saber o que o presente nos reserva. Julho é o meio do caminho, o auge do inverno — verão no hemisfério Norte —, férias escolares. A cidade fica vazia. Época de Copa, Olimpíada e de assistir televisão debaixo dos cobertores. Em agosto há uma sensação de missão cumprida pelo fim do primeiro semestre e um leve anseio, bom anseio, em relação ao segundo. Em setembro, outubro e novembro, se nos colocarmos na ponta dos pés e forçarmos a vista, já dá pra enxergar o fim do ano, ali adiante. É uma longa quinta-feira, prenhe de calma euforia. (Uma tarde, um e-mail nos pega de surpresa: um amigo diz que 'tá organizando o Réveillon, pensa em alugar uma casa na praia tal, busca interessados — e o cheiro de mar subitamente invade o escritório.) Dezembro é aquela correria de xixi no formigueiro: todo mundo com um olho no Windows e outro na janela, é um tal de marcar café, almoço, jantar, chope; come-se e bebe-se como se estivéssemos no século XX, num episódio de *Mad Men* — como se fosse o mundo, não o ano, que estivesse pra acabar.

Mas abril? Maio? Junho? Não fede nem cheira. Nada começa ou finda aqui. Hall-de-elevador-finger-de-aeroporto-Phil--Collins-tofu. Pelo que se anseia nesta insossa planície? Qual clímax se vislumbra neste tedioso começo de segundo ato?

Eu sei, eu sei que não deveria me incomodar. Tenho a vida que pedi a Deus — ou que pediria, caso acreditasse nele e me achasse importante o suficiente para lhe fazer demandas. Nasci numa família legal, trabalho com o que gosto, tenho saúde, amigos, dei a sorte inacreditável de me apaixonar por uma mulher que também foi com a minha cara. Mas, sei lá. Talvez nós — ou eu? — só saibamos ser felizes na expectativa, nunca na realização. Eis por que fevereiro e dezembro são meus meses preferidos. Meses feitos da esperança — melancólica, é verdade, mas não o é toda esperança, afinal de contas? — de que no ano que vem, de que no bloco tal, depois de pular as ondinhas, enquanto pulamos na avenida, a vida parecerá, enfim, uma propaganda de Campari.

Já abril, maio e junho estão mais pra um daqueles encartes de supermercado que vêm no meio do jornal: a foto de uma costelinha de porco crua sobre uma pálida folha de alface, umas latas de cerveja barata, um azeite ou detergente em promoção. A vida como ela é, em velocidade de cruzeiro, sem efeitos especiais — e com trilha sonora do Phil Collins.

Eu, ela e o Keith

Quando as pessoas me perguntam "e aí, tudo bem?", eu respondo que sim, "tudo ótimo", mas é mentira. Não está tudo ótimo, está tudo péssimo: faz um mês que minha mulher se apaixonou pelo Keith Richards e não tenho a menor ideia do que fazer. A paixão foi despertada pela biografia do guitarrista, que eu mesmo, num desses irônicos maus passos da vida, lhe dei de aniversário. Ora, como eu podia imaginar que o livro do mais feio dos Rolling Stones, aquele ex-pirata bexiguento, pudesse fazer brotar em minha amada — uma moça fina, discreta e, até então, equilibrada — qualquer sentimento para além da admiração e da repulsa?

Não foi amor à primeira vista. No começo, ela ficou chocada. Enquanto lia, esticada no sofá, fazia caretas: "Nossa, que horror, ele comprou meio quilo de heroína!", "Uau, que imbecil, ele jogou uma faca no produtor!", "Que isso?! Ele deu um tiro no chão do hotel, porque o Charlie Watts tava fazendo barulho no quarto de baixo!".

Aos poucos, contudo, vi em seu rosto o asco se transformando em graça, a irresponsabilidade sendo interpretada como desprendimento, a delinquência como libertação. "Olha isso: eles voltavam de uma festa, muito loucos, lá na França, pegavam o veleiro do Keith e iam tomar café da manhã numa ilha!", "Putz, ele não tinha casa, morava cada semana com uma groupie diferente!". Eu, da minha poltrona, um livro aberto no colo, um copo de Coca Zero na mão, a léguas de distância de groupies, heroína, facas e veleiros, apenas ouvia, apreensivo.

Veja: ninguém é menos Keith Richards do que eu. Nunca briguei. Não discuto nem com flanelinha. Aventura, pra mim, é ir até o Parque do Carmo, num domingo de manhã, assistir à Jazz Sinfônica. Se minha mulher caísse de amores por um escritor, por um arquiteto, um advogado, eu teria uma margem de manobra, talvez conseguisse mostrar que sou mais legal do que o outro, mas como competir com um cara que, aos setenta, quebra a cabeça caindo de um coqueiro — e leva uma semana pra se dar conta do estrago?

Será que era esse o tipo de homem que ela esperava que eu fosse desde que nos conhecemos, há muitos anos? Será que, enquanto eu me esforçava pra usar corretamente os talheres e não falar de boca cheia, ela sonhava com brigas de cadeirada e moshes de três metros de altura?

Quinze dias atrás, cansado de sofrer calado, a interrompi no meio da descrição de uma suruba em Ibiza, lá por 1971; virei minha Coca num gole, como se fosse um shot de Jack Daniels, e perguntei, na lata: "Você tá a fim desse cara?". Passado o susto, ela resolveu assumir. "Tô. Um pouquinho."

No bar, diante de uma cachaça, ouvi os consolos de um amigo. Essas paixões platônicas são muito comuns, me garantiu. Confessou que ele mesmo, ano passado, havia caído de amores pela Lady Gaga. Depois esqueceu. Um conhecido nosso, disse, quase enlouqueceu com a Lídia Brondi, na reprise de *Vale Tudo*.

"Pensa no lado bom: antes o Keith Richards do que o Capitão Nascimento, né?" Verdade.

Em breve, ele jurou, minha mulher terminará de ler a biografia e a paixonite sumirá, provando que três acordes de guitarra jamais abafarão a sinfonia que, ano após ano, lentamente, estamos compondo. Torço pra que isso aconteça. (Ou pra que Keith Richards resolva, qualquer dia desses, subir novamente num coqueiro.)

Sozinho

Ele virou pra mim com a testa franzida e a boca entreaberta, como se fosse perguntar as horas ou o itinerário de um ônibus, mas logo se voltou pra frente, olhou aflito a loja de instrumentos musicais do outro lado da rua, então me encarou perplexo, caiu sentado na calçada — e morreu.

Eu nunca tinha visto alguém morrer. Mortos, sim, alguns, mas sempre no caixão, entre flores e parentes, naquele clima dos velórios que, se não anula o absurdo da morte, ao menos nos prepara para o encontro. Ali no ponto de ônibus, porém, não teve preparo: três segundos antes o sujeito estava vivo, a quarenta centímetros de mim, esperando o Parque Ipê ou o Brasilândia, três segundos depois, não estava mais. Morreu sentado, de olhos abertos, a perplexidade aos poucos largando seu rosto e se agarrando ao meu.

Tentei levantá-lo, com mais dois caras do ponto — ainda não sabíamos que estava morto —, mas logo saiu uma mulher da lanchonete, disse que era enfermeira, botou dois dedos no pescoço do homem e, um pouco depois, fez um não com a cabeça.

Sob suas instruções, tentamos uma massagem cardíaca, mas não funcionou. A enfermeira ligou para um número da prefeitura e, num desses atos de generosidade de que só as mulheres são capazes, disse que ficaria lá até o sistema funerário chegar.

Meu ônibus chegou e entrei assustado, achando estranhíssimo que ninguém ali soubesse o que tinha acabado de acontecer, que ninguém ali desconfiasse que do lado de lá da lataria havia um corpo que instantes atrás estava vivo e que a mesma coisa poderia — e vai — acontecer a qualquer um de nós, a qualquer momento.

Sei que, em breve, essa cena estará guardada em alguma gaveta da memória e, com o tempo, vai amarelar, como feliz e infelizmente tudo amarela, mas agora a trago tatuada no verso das minhas pálpebras: é a primeira coisa em que penso, ao acordar, é a última coisa em que penso antes de dormir; o homem me olhando, curioso, olhando a vitrine da loja, aflito, me encarando perplexo — e morrendo.

Repasso os três atos, vez após outra. A percepção de que algo ia errado e a busca de cumplicidade. A compreensão de que a cumplicidade não serviria pra nada e o olhar pra frente, como se quisesse confirmar que o mundo ainda estava ali, que a rua continuava existindo, os carros passando, que a loja de instrumentos musicais seguia no mesmo lugar, dando um desconto de 30% no violão Di Giorgio da vitrine. Por fim, quando entendeu que o mundo permanecia intacto, mas ele não, veio a perplexidade. Havia menos revolta do que susto em seu olhar. Então é assim? Num ponto de ônibus? Numa terça-feira, às 15h37, entre uma lanchonete e uma loja de instrumentos musicais, sem trombetas nem iluminações?

Quando fico muito aflito — e sabendo que não conseguiria tirar a cena da cabeça —, tento ao menos mudar o enfoque da memória. Lembro da enfermeira que se prontificou a aguardar no ponto até a chegada do serviço funerário. Vejo a mulher ali, esperando por horas, talvez, faltando a não sei quais compromissos, a imagino ligando para uma vizinha, pedindo pra olhar os seus filhos quando chegarem da escola, e, por um momento, a mesquinhez da morte é atenuada por esse ato de humanidade, tão belo quanto inútil: a recusa em deixar o morto sozinho.

Libera a guitarrinha!

No último sábado, depois de dez anos de repressão, auto-controle e sofrimento, dez anos durante os quais me curvei aos ditames do recato, do bom senso e do bom gosto, liberei a guitarrinha. Estou falando daquele gesto, ou melhor, daquele hábito, tão execrado pelas mulheres quanto adorado pelos homens, de tocar uma guitarra imaginária na pista de dança. De uns tempos pra cá, deram pra chamar a firula de *air guitar* e existe, inclusive, o "Air Guitar World Championship", disputado todo ano em Oulu, na Finlândia, mas campeonatos de *air guitar* estão para a guitarrinha como Wimbledon para o frescobol: quando os primeiros acordes de "Satisfaction" soam pelas caixas da festa, a última coisa que passa pela minha cabeça é a perfeição dos movimentos, é superar os comparsas que, de olhos fechados e empunhando Fenders inexistentes, vivem seus momentos de Keith Richards, levando milhares de pessoas ao delírio nos estádios lotados de suas fantasias. Pois guitarrinha, meu caro, é entrega. Guitarrinha é entusiasmo. Guitarrinha — eu digo de boca cheia, sem medo do clichê — é emoção.

É por isso — aliás, percebo agora — que as mulheres ficam tão incomodadas com essa nossa prática lúdico-patética. Pois, por maiores que tenham sido suas conquistas nos últimos cem anos, por mais emancipadas que estejam, ainda querem, no fundo, um homem controlado e seguro, um homem que — elas sonham, do alto de seus saltos e de seus cargos — seja capaz de apaziguar seus anseios, aplacar suas angústias, um tipo sereno e calado, enfim, nada a ver com o sujeito que, depois do segundo uísque, com as pernas flexionadas e as costas tombadas pra trás, chacoalha a calva como se balançasse a cabeleira do Slash, contraindo os dedos convulsivamente, emulando as primeiras notas de "Sweet Child O' Mine".

Lembro vagamente de quando soube que vivia em pecado. Foi em algum momento entre o último boletim e o primeiro holerite. Numa mesa de bar, quatro ou cinco garotas listavam as maiores heresias da condição masculina, e lá estava ela, a guitarrinha, empatada com a pochete, o palito de dente, o moletom e a exibição do cofrinho na troca de pneus. Eu, que sempre fui um fraco, que, desde o surgimento dos primeiros hormônios, pendurados nos ralos pelos do buço, sempre fiz o que pude pra agradar às mulheres, pra conseguir sua atenção, sua admiração e, se possível, seus carinhos, acatei essas arbitrárias interdições. Reprimi o George Harrison no backstage de meu ser e ali o deixei — até o último sábado.

Acho que a minha, digamos, saída do armário tem a ver com esta cômoda idade: trinta e poucos. Ainda temos o vigor da juventude — o vigor necessário pra solar uma guitarra imaginária, pelo menos —, mas já deixamos pra trás o pudor da adolescência — pudor de contrariar as diretrizes do grupo, de não se encaixar na moldura da época. Até os vinte e nove você ainda tem esperanças de se tornar outra pessoa. Depois dos trinta, você simplesmente aceita ser quem é, relaxa e goza. E não me olhe assim, meu amor: eu podia estar roubando, matando, podia estar de pochete, de moletom, palitando os dentes na pista, mas tô só aproveitando a vida, enquanto é tempo, *"while my [air] guitar gently weeps"*.

Ars *procrastinaria*

Procrastinar, segundo o dicionário, é "transferir para outro dia ou deixar para depois; adiar, delongar, postergar, protrair". Mas o que sabem os dicionários? Bichos afoitos, na ânsia de engolir o mundo, mal têm tempo de mastigar cada palavra, de extrair delas todo o sabor e os nutrientes, de modo que a definição acima diz tanto sobre a complexa arte da embromação quanto "forma de interação psicológica ou psicobiológica entre pessoas, seja por afinidade imanente, seja por formalidade social" explica o "amor".

Percebo que divago. Em vez de encarar o dever proposto no título e falar sobre a procrastinação, a pratico: passeio por enfadonhos arrabaldes, me perco nas borradas fronteiras da linguagem e do coração. Tudo bem, não há razão pra me afligir, pois as crônicas são redondas como a Terra e às vezes é indo pra trás que chegamos ali na frente. Se o parágrafo anterior fugiu à teoria, serve ao menos como demonstração prática do que entendo por procrastinar: adiar alguma obrigação chata arrumando outra atividade igualmente tediosa pra pôr em seu lugar.

Veja: ir ao cinema em vez de trabalhar não é procrastinação. É vagabundagem, no melhor sentido do termo. Fazer sexo num sábado de manhã quando se deveria pendurar estantes não é procrastinação, é sabedoria, compreensão de que a vida é breve e que às vezes alguns instantes valem bem mais do que algumas estantes. Já abrir o site do banco e ficar digitando a infinita sequência numérica do código de barras de uma conta de luz que só vence no fim de junho, quando se está cheio de trabalho pra amanhã, é o mais nítido retrato da procrastinação. Pois essa praga dispersória é filha de Deus com o Diabo, é um pecado que já vem com penitência. O procrastinador só se permite gozar o adiamento do trabalho maltratando-se no interlúdio. Troca-se de aborrecimento mais do que dele se desvia; eis como o saci da procrastinação oculta sua presença e surrupia nosso tempo, nossa vida.

Quantas vezes, atrasado na escrita, me pego limpando o anti-spam, arrumando papéis na gaveta, aceitando solicitações de amizade no Facebook, lendo na internet uma matéria sobre a tendência de queda nos juros do financiamento imobiliário? Nunca, no entanto, nessas inconscientes delongas, me encontro gargalhando com uma crônica do Verissimo, tomando sol no quintal, assistindo a um antigo episódio de *Friends*, ouvindo um disco de ska.

A procrastinação é um mal, meus caros, não por arrancar-nos do trabalho, mas por nos grilar o ócio. Não é me aferrando à labuta, portanto, que pretendo combater este vício, mas buscando forças pra me entregar totalmente à lassidão. Da próxima vez que me flagrar pagando conta de luz às duas da tarde, vou desligar o computador, fechar os olhos e repetir os versos de Fernando Pessoa: "Ai que prazer/ Não cumprir um dever,/ Ter um livro para ler/ E não o fazer!/ Ler é maçada,/ Estudar é nada./ O sol doira/ Sem literatura./ O rio corre, bem ou mal/ Sem edição

71

original./ E a brisa, essa/ De tão naturalmente matinal,/ Como tem tempo não tem pressa…".

Nós temos pressa. Trabalhar é importante. Vagabundear é urgente. Procrastinar, não, minha gente.

Sapatos

Sexta a tia Clara ligou avisando: se eu quisesse procurar pelos sapatos do tio Estevão tinha que chegar cedo, no dia seguinte. À tardinha vinham os filhos, levariam os pertences que lhes interessassem e o resto seria doado ao Lar Escola São Francisco. Nove da manhã de sábado eu tocava a campainha, pronto pra começar a minha busca.

Poucos objetos estiveram mais ligados a uma pessoa do que aqueles sapatos ao meu tio Estevão. Dos oitenta e quatro anos que passou sobre a Terra, sessenta foram calçando o mesmo modelo. Difícil descrevê-los, não porque tivessem algo de excêntrico, mas por serem demasiadamente comuns: eram de couro preto, quatro furos pro cordão, sola de madeira, salto de borracha. No colegial, quando aprendi sobre o mundo inteligível de Platão, aquele no qual residiriam os ideais de todas as coisas, logo pensei nos paradigmáticos sapatos do tio Estevão pairando lá no alto, muito acima dos canos altos, Melissinhas, escarpins e outras sombras projetadas na balbúrdia da caverna.

Meu tio não gostava de balbúrdia. Casou-se com a namorada

da escola, teve um filho e uma filha, foi fiel à esposa, à marca de desodorante, ao nó da gravata, à sopa no jantar — e, claro, aos sapatos. Descobriu-os numa viagem a Franca, interior de São Paulo, aonde foi a trabalho, em 1952. Muitos anos atrás, num Natal, me contou que bastou calçá-los pra saber que "aquela questão, pelo menos, estava resolvida". Lembro que achei graça na sua postura, como se a vida consistisse numa série de questões a serem resolvidas, uma lista na qual fôssemos ticando as colunas. Casamento: risca. Carreira: risca. Filhos: risca. Sapatos: risca.

Como o trabalho o levava todo ano a Franca, tio Estevão comprava um par a cada viagem e assim viveu tranquilo — pelo menos, no que se referia àquela "questão" — até 1990, quando o mercado brasileiro se escancarou pro mundo e a fábrica, incapaz de competir com a concorrência chinesa, faliu. O dono, a essa altura já amigo do meu tio, lhe telefonou pra se lamentar, maldizer o governo, os chineses, a vida e avisar que os últimos pares do estoque eram seus. Vinte e dois pares, um presente por trinta e oito anos de fidelidade.

Meu tio brincava, desde então, pra desespero da tia Clara, que quando o último par se gastasse ele morreria. Segundo minha tia, na segunda-feira à noite ele se sentou na cama, olhou os sapatos em petição de miséria e, calmo, como se viesse há muito se preparando para aquele momento, disse: "Já era". Comentou que no dia seguinte iria provar uns mocassins — mas ele e o dia seguinte não tiveram o prazer de se conhecer.

Na manhã de sábado, revirei cada gaveta, cada armário, cada cômodo da casa. Tinha a esperança de que, em sua última noite, meu tio não tivesse jogado no lixo os sapatos que o acompanharam pela vida inteira, houvesse guardado ao menos um pé, como lembrança. Por que eu queria tê-lo? Seria um símbolo da persistência? Da teimosia? Da busca pela imanência em meio à transitoriedade?

74

Não os encontrei. Claro. Era de esperar que um homem pragmático a ponto de passar sessenta anos com o mesmo sapato não fosse de guardar velharias como souvenirs. As questões, quando se resolvem, se resolvem. Morte: risca.

Coleta de material

Éramos eu, um potinho de plástico e a Bruna Surfistinha — "Se precisar de estímulo, tem umas revistas naquela gaveta" haviam sido as últimas palavras da funcionária do laboratório, antes de me abandonar à solidão das quatro paredes bege. Eu estava ali pra realizar um espermograma, exame a que, após alguns meses de infrutíferas investidas fecundatórias, resolvi me submeter — embora "submeter" não seja o verbo mais adequado, se pensarmos que a responsabilidade pela "coleta do material" recaía, única e literalmente, em minhas mãos.

Woody Allen disse em algum filme que não deveríamos nos envergonhar da masturbação, afinal, trata-se de sexo com a pessoa que você mais ama. Concordo: num domingo chuvoso, no recesso do lar, entre um brownie e um seriado de TV; mas no décimo primeiro andar de um edifício na rua Itapeva, constrangido pelo cheiro de álcool, pelo bip das senhas no painel, incapaz de me esquecer das quinze pessoas que, do lado de lá da diáfana porta de fórmica, sabiam muito bem o que eu estava prestes a fazer (discrição claramente não havia sido a prioridade da mocinha ao urrar "Sr. Antonio, espermograma!!!"), a coisa fica um pouco diferente.

Talvez fosse o cheiro de álcool, quem sabe a turma lá fora ou a obrigação de cumprir com o dever, mas assim que tranquei a porta me veio aquela dúvida que um homem jamais deve deixar brotar diante do sexo, seja com outra pessoa, com várias ou consigo mesmo: e se eu não conseguir? E se for incapaz de — hm, hm — performar a coleta? Seria a mais humilhante de todas as brochadas, uma inédita brochada solitária, diante da qual eu poderia dizer, sem mentir: isso nunca me aconteceu antes!

Me imaginei chegando ao balcão, depositando o potinho vazio — transbordante de fracasso —, dizendo: "Olha, não são vocês, sou eu. Tô um pouco nervoso. Será que não dava pra eu ler umas *Caras* velhas antes? Tomar um cafezinho? Quem sabe se eu começar por um hemograma básico, sei lá, um colesterol e triglicérides, depois passar pra uma ressonância — aquele escurinho, aquele ronronar... — e só então formos aos finalmentes, hein?".

Estava prestes a aceitar a derrota quando, do fundo de minha acuada masculinidade, uma voz ecoou. Não era a voz de Deus, mas de Van Damme em *O grande dragão branco*: "Retroceder, nunca; render-se, jamais!". Eu não podia me deixar vencer pelo medo. Eu fora até ali por uma razão clara: pelo filho que pretendo ter. Pra saber se está tudo bem comigo (ou, deveria dizer, com eles?) antes de gastar um ano em malogradas — embora nada sofridas — tentativas. Falhar, naquele instante, não seria um ato de fraqueza, mas de egoísmo: um desrespeito com o futuro da espécie humana, uma afronta à minha missão biológica. E foi este sentimento cívico, humanitário, este ancestral chamado da natureza que me trouxe de volta a confiança, fez o coração pulsar o sangue em minhas veias e... Bom, vamos parar por aqui. Certas intimidades, melhor ficarem entre mim, as quatro paredes bege, o potinho de plástico e a Bruna Surfistinha — que, sem nem suspeitar, no décimo primeiro andar da rua Itapeva, no fundo de uma gaveta, vem ajudando a povoar este Brasil varonil. Com licença — e desculpe qualquer coisa.

A gostosa do câmera

Demora uns quinze, vinte minutos até ela aparecer. Esse é o tempo, imagino, gasto na minuciosa pesquisa: sempre que a bola sai pela lateral, que um jogador cava uma falta, enquanto o goleiro toma distância pra bater o tiro de meta, ele vasculha a arquibancada, um olho no campo e outro no zoom, a procurá-la. Talvez fique em dúvida entre a loira de top na numerada, a morena de piercing junto ao alambrado, a ruiva girando o rabão de cavalo no tobogã. Lá pelo meio da primeira etapa, contudo, já chegou a um veredito, e, quando o jogo é interrompido por alguma razão e o comentarista, num raro momento de iluminação, emudece, eis que surge, pinçada do meio da massa amorfa e catapultada para as televisões do Brasil: a gostosa do câmera.

Por alguns segundos, todos se esquecem do jogo, do time, da tabela e se concentram na brejeira musa dominical, que, ignorando oitenta milhões de olhos, segue enrolando uma mecha de cabelo, cantando "Timão, ê, ô!", roendo a unha do dedinho. Em algum lar, uma mãe estará gritando: "É a Kelly! Nestor, é a Kelly!". Perto dali, talvez, um garoto se endireite na cadeira de latão: "Aí, Rodriguêra, não é aquela tua prima gostosa?!", e Rodriguêra, surpreso, forçando a vista: "Cara, só é!". Aqui em casa, toda vez que a moça invade a TV, há também um movimento: "Aí está ela!", penso, e sorrio satisfeito.

Se digo "a moça" é porque, entra ano, sai ano, o biótipo da eleita não muda — e a constância de seus traços, ou, mais precisamente, de seus contornos, talvez seja a primeira razão da minha felicidade. Mudam os jogadores, os presidentes, a temperatura global, as alianças dos políticos e o sabor dos sorvetes, mas a gostosa do câmera continua igual: fornida, cabelos longos, unhas pintadas. Vá lá: vulgar, no sentido mais puro da palavra, o que pertence ao vulgo, ao povo, pois é isso que ela é, o paradigma da beleza nacional.

Se a primeira razão da minha alegria é a permanência dos contornos, a segunda é o contorno em si; essa desbragada voluptuosidade. Pois mesmo com o poderoso lobby da anorexia e seu ossudo ideal de beleza que bombardeia as meninas desde o berço, a libido brasileira ainda se move em direção à fartura. A natureza, que via nas curvas a reserva de alimento necessária pra nutrir os descendentes em épocas de escassez, ainda vence o marketing, com suas mulheres desnatadas. O mundo caminha para uma triste assepsia, um raquitismo carnal e anímico, mas sangue corre nas veias daquela garota, há ali vida e vontade de potência.

Por último, mas não menos importante, me empolgo com a gostosa do câmera simplesmente porque ela é do câmera. Num espetáculo que movimenta milhões de reais, em que há gigantes da propaganda disputando cada segundo e cada centímetro do estádio, este soldado raso do exército televisivo, com um desejo na cabeça e uma câmera nas mãos, é quem elege a Miss Arquibancada, que, por três segundos, provocará milhões de brasileiros.

Ao ver aquela moça ali, saltitando, anacrônica e contente, semana após semana, acredito que nem tudo está dominado. "¡No pasarán!", penso, enquanto ela passa em minha TV — e me alegro pela existência do futebol e seus contornos.

Feira de Frankfute

Sei que em nome da vaidade ou, ainda, de sua irmã mais jeitosa, a humildade, eu não deveria dizer esse tipo de coisa, mas lá vai: muitas vezes me imagino participando da Flip. Não é o auditório lotado que vejo em meus devaneios narcisistas, tampouco a fila de autógrafos ou o flash dos fotógrafos: a imagem que me vem à mente, sempre, é a do futebol.

Talvez o leitor não saiba, mas em toda Festa Literária de Paraty há uma pelada disputada pelos escritores — ou, ao menos, por aqueles cuja saúde permita bater uma bola sem bater as botas. Em minha quimera lítero-esportiva, saio driblando críticos, ultrapassando romancistas, desarmando contistas e, de calcanhar, de bicicleta ou trivela, estufo a rede. Finda a partida, recebo os cumprimentos de Roberto Schwarz, José Miguel Wisnik pede pra trocar comigo a camisa, dou entrevista à revista *Serrote*, dedicando a vitória à minha esposa, a Deus e — quem sabe? — à professora Lucilene, do primário, pois sem ela...

Não é o meu talento ludopédico, claro, que me insufla tais delírios, mas bem o contrário: é do oco em que deveria residir minha habilidade que sopra a brisa da ilusão. Nas aulas de educação física, na escola, eu era aquele infeliz escolhido por último. Ainda trago na memória as cicatrizes causadas pelo olhar aflito do garoto a escalar o time, tendo de optar entre mim e a menina de cabresto nos dentes — por quem, ao fim, ele se decidia. O sofrimento com o analfabetismo de minhas pernas durou até 2004, quando fui à primeira Flip e, assistindo à douta cancha, descobri que o desempenho futebolístico dos escritores era inversamente proporcional às suas virtudes literárias. Percebi, ali, que havia esperança: entre os grandes das letras, pelo menos, eu poderia ser um craque da bola. Desde então, a cada ano, sempre que se aproxima a escalação para uma nova festa literária, cozinho algumas insônias na chama da expectativa, mas, pra minha frustração, nunca encontro meu nome na lista.

Pois, semana passada, Charles Miller debateu-se em seu túmulo e eu recebi uma das notícias mais felizes na história de minhas fatigadas canelas. Fui selecionado pelo Instituto Goethe pra integrar o time de escritores brasileiros que irá à Feira de Frankfurt, em outubro, enfrentar os alemães da Seleção Nacional de Autores, a "Autorennationalmannschaft" — ou Autonama, pros íntimos.

Nesta ensolarada (espero) manhã de domingo, enquanto você toma descansadamente seu café, eu e mais quinze escritores brasileiros suamos a camisa, no primeiro treino coletivo do escrete da escrita. Sabemos o tamanho da responsabilidade: somos, simultaneamente, a pátria de chuteiras e de teclados, temos menos de dois meses e, tomando a mim mesmo como medida, imagino que o caminho será tortuoso. Há, contudo, dois dados animadores: do outro lado do campo também haverá escritores e nosso técnico é ninguém menos do que Pepe, o "canhão da Vila".

A ver se, nestas oito semanas, sob a batuta de um dos maiores pontas-esquerdas da história, deixo de ser canhestro e sigo apenas canhoto, mostrando que, com fé em Deus e obedecendo à orientação do professor, é possível, apesar de ser "gauche" na vida, fazer bonito pela sinistra nos gramados do velho mundo.

Ficando pra trás

Ao desfazer a mala percebi, chateado, que um dos pés da meia verde tinha ficado lá na praia. Àquela hora, devia estar caído atrás do armário da pousada, quem sabe até já não tivesse virado pano de chão, saquinho de parafuso, flanela pra encerar móveis? Se fosse um casaco, uma calça, uma gravata, ainda haveria chance de ir parar num Achados e Perdidos, numa gaveta da recepção, mas um pé de meia? Quem se dá ao trabalho de ligar, perguntar se por acaso, mas que bom, por correio tá ótimo, me passa a sua conta que te faço um depósito? Ninguém. E, no entanto, como já disse, fiquei chateado.

Aquelas meias haviam sido compradas na primeira viagem que fiz com a minha mulher, poucos meses depois de começarmos a namorar. Uma viagem em que cruzamos os Estados Unidos de carro, sem rumo, parando de cidade em cidade, dormindo em motéis de beira de estrada e nos descobrindo — descobrindo, por exemplo, que eu não era o tipo de cara que gosta de cruzar um país de carro, sem rumo, parando de cidade em cidade, dormindo em motéis de beira de estrada. Meu apego por *road movies*, me dei conta, enquanto discutia com a voz do GPS numa highway de oito pistas em algum lugar do Alabama, tinha mais a ver com *movies* do que com *roads*. (Há uma diferença nada sutil entre assistir a *Paris, Texas* e estar em *Paris, Texas* — a diferença entre, digamos, uma poltrona e um deserto.)

Foi lá pelo meio da viagem, quando eu estava aflito, espremido entre caminhões mastodônticos e o possível fim do namoro — ela sempre querendo ver o que havia do lado de lá da montanha, eu sugerindo tomar uma cerveja na próxima esquina — que comprei as tais meias numa cidadezinha em Oklahoma. Eram grossas, confortáveis, meias de domingo, daquele velho domingo que "pede cachimbo" na canção infantil. Apesar de estrangeiras, emanava delas o inconfundível aroma do lar, de modo que as meias verdes amaciaram um pouco aqueles dias atribulados.

Teve uma tarde, já no fim da viagem, em que subimos um platô em Monument Valley, no Arizona. Um cenário de faroeste, digno de John Wayne ou Papa-Léguas, e, embora — ou talvez exatamente porque — escalar um platô no meio do deserto fosse a caricatura do que me desagradava no pacote aventura, o epítome do desconforto, consegui relaxar e aproveitar. Ao chegar lá no alto, suados, tiramos os sapatos, ficamos em silêncio, um encostado no outro, admirando a paisagem marciana.

Anos depois, mesmo tendo lavado dezenas de vezes as meias verdes, uma manchinha da terra vermelha de Monument Valley resistia, impregnada às suas fibras. Sempre que abria a gaveta e as via, me voltava à memória aquele momento da viagem, o momento em que entendi que o namoro, apesar de nossas diferenças — eu, poltrona; ela, platôs —, iria dar certo. E deu.

Agora, um pé de meia tá lá na Barra do Sahy, passando óleo de peroba na mesa do café da manhã, o outro irá inexoravelmente pro lixinho do banheiro. Veja, não é pela meia que eu fico triste, não. É a vida que, num detalhezinho aqui, noutro ali, vai ficando pra trás, tão rápido, percebem?

O nariz

Era uma dessas mulheres que você não sabe dizer se é uma senhora que com tantos tratamentos e intervenções estéticas ficou com cara de menina ou uma menina que com tantos tratamentos e intervenções estéticas ficou com cara de senhora. Botox, chapinha, clareamento, maquiagem, lipo, silicone, enchimento labial e o inconfundível encenouramento artificial acabaram por criar esta ubíqua incógnita etária: vinte e nove anos? Sessenta e oito? Só Deus — e Pitanguy — sabem.

Não pretendo pregar o moralismo orgânico, afirmar que devemos envelhecer contando apenas com a resignação dos estoicos e os antioxidantes da alfafa. Que bom que a ciência, incapaz de frear a deselegância do tempo do lado de dentro, pode ao menos retardá-la um pouquinho do lado de fora, transformando cada um de nossos selfies num *Retrato de Dorian Gray* ao contrário. O que me impressionou na mulher — e é sobre isso que gostaria de falar aqui — foi o nariz. Era tão pequeno, com narinas tão estreitas, que cheguei a me perguntar se haveria espaço suficiente, naquela ervilha, para o ato — pouco glamoroso, é verdade, mas ainda fundamental, até onde eu sei — de respirar.

Diante daquele nariz customizado — evidente que não era de fábrica —, lembrei do nariz do Michael Jackson, dos narizes de duas ou três atrizes que também vêm diminuindo gradualmente ao longo dos anos e então percebi, assustado, que a micronapa não era um caso isolado, mas um vislumbre do futuro: depois de extinto o último pelo púbico, as lâminas higienistas do *Zeitgeist* buscarão a eliminação nasal.

Faz sentido uma época que tem nojo de pentelho e inventou cirurgia plástica para redução de lábios vaginais olhar com certa desconfiança para este barraco, instalado na área mais nobre do corpo humano, cobrindo duas fossas nasais. "Ué" — minha bisneta se perguntará —, "se canalizamos todos os rios da nossa cidade, por que não concretar estes bueiros no meu rosto?"

Não quero parecer pedante citando Nietzsche numa crônica de jornal, mas precisamos de toda ajuda possível. (Se, ante a primeira depilação "cavada", surgida com o biquíni asa-delta, lá por 85, tivéssemos agido com firmeza, talvez não descambássemos para estes púbis glabros e assépticos que remetem menos ao sexo do que ao piso do banheiro.)

Eis como o filósofo descreveu, há mais de cem anos, a ameaça que já pairava debaixo de nossos narizes: "Este ódio de tudo que é humano, de tudo que é 'animal' e mais ainda de tudo que é 'matéria', este temor dos sentidos [...]. Este horror da felicidade e da beleza", esta "vontade de aniquilamento, hostilidade à vida".

Lá por 2184, imagino, haverá entre os olhos e a boca apenas um calombinho, metade de um gogó, sem furos, mas ainda não estaremos satisfeitos. Depois do nariz, serão as orelhas. Depois as unhas. Depois os dedos. Depois as mãos, os braços, as pernas, o tronco. Por algumas décadas, seremos apenas um olho — azul — a planar por um mundo holográfico. Até que os cientistas conseguirão a proeza de prescindirmos mesmo do olho. Iremos nos converter num retângulo de plástico, num iPhone preto, sem fluidos, sem odores, imunes às rugas, ao amor, ao sexo, à fome, à sede, à saudade, e o sentido da vida será enfim claro e comum a todos: encontrar a tomada mais próxima.

Dupla personalidade

Eu descobri, doutor, eu finalmente entendi por que os meus namoros não dão certo. O problema... O problema é que eu e o meu pinto não temos a mesma formação. Não, muito pelo contrário, são duas visões de mundo radicalmente diferentes.

Eu sou professor universitário, sou fã do Truffaut, voto no PSOL, já o meu pinto... Ele gosta de umas mulheres de argolão dourado, salto alto e muito perfume. Umas mulheres que eu não consigo aguentar por três meses e que me acham um mala, também. Eu sou de esquerda, doutor, mas o meu pinto, tenho que admitir, é de direita.

É como se, tipo, todo dia, durante a infância e a adolescência, antes de eu pegar a perua e ir pra Waldorf, a escola antroposófica em que eu estudei, meu pinto tivesse sido desatarraxado de mim, tivesse entrado em outra perua escolar, tipo uma peruazinha de controle remoto, só pra pintos, e ido estudar no Dante, no Bandeirantes ou, sei lá, no Santo Américo. Só pode ser, doutor. Senão, como é que explica?

Pra você ver como a gente é diferente: um dia, se eu tiver

89

uma filha, eu quero que ela chame Luiza, em homenagem ao Tom Jobim. Mas as mulheres que o meu pinto escolhe são todas Waleskas ou Jéssicas ou Tábathas, dessas com agá no segundo T. É no segundo T, o agá de Tábatha? Ou é no primeiro? Não sei. O meu pinto sabe, com certeza, mas adianta perguntar pra ele? Ele não me ouve.

Quantas vezes eu já não apresentei mulheres pra ele, mulheres bacanas, eu disse, amigão, essa é pra casar, pra ter uma filha chamada Luiza, pra comprar o pacote completo da Mostra e ir até na animação muda do Uzbequistão, domingo de manhã, mas ele se finge de morto, nem tchuns.

Aí eu vou no shopping trocar um presente que eu ganhei de aniversário, chega a vendedora de unha vermelha, rabão de cavalo loiro, diz "bom dia, eu sou a Kátia, posso tá te ajudando?" e pronto, ele parece um cachorrinho quando os donos voltam de viagem.

Eu tava pensando: e se a gente tentasse uma terapia de grupo, eu e ele? Ou melhor, uma terapia familiar. É, porque às vezes eu acho que esse negócio de ele querer me contradizer em tudo é uma fase de negação, tipo um complexo de Édipo, se a gente pensar que eu sou o pai do meu pinto e que, tipo, ele precisa me matar pra achar a individualidade dele. Será que é isso? Não, não pode ser fase: eu tô com trinta e dois e ele é assim desde a adolescência, não vai mudar.

Quem que eu tô querendo enganar, doutor? O erro foi meu, claro. Fui eu que eduquei o meu pinto e eu sei o que ele leu na juventude. Leu *Playboy* e *Sexy* e *Penthouse*. E como eram as mulheres na *Playboy*, na *Sexy* e na *Penthouse*? Tinham cara de quem quer ter uma filha chamada Luiza em homenagem ao Tom e ir na Mostra ver animação muda do Uzbequistão? Não, eram todas loiras platinadas, com unha vermelha e rabão de cavalo, tinham cara é de quem quer ir pra Vegas andar de conversível vermelho. Vegas, doutor! Conversível! Eu nem tenho carro! Eu tenho uma bicicleta com adesivo do Greenpeace! Todo dia eu vou pra faculdade pela ciclovia e todo dia o meu pinto quase me derruba da bicicleta, porque ele tira a minha atenção do caminho e me obriga a olhar as loiras dentro dos suvs, na rua: aquelas loiras pequenininhas dentro daqueles carrões enormes, nossa, ele pira! Ah, doutor, tá muito difícil seguir vivendo assim. Por isso eu queria, queria saber se você não pode receitar um remédio pra mim. Ou pra ele? Que que você acha, doutor?

Acaju?

Primeiro foi o Gustavo: chegou ao bar, sentou na minha frente, me encarou e com a honestidade que lhe é habitual, perguntou: "Mano, cê tá pintando o cabelo?". Soltei uma gargalhada, pedi dois chopes e esqueci o assunto.

Uns dez dias depois, foi o Flávio: conversávamos na fila do cinema e reparei que seus olhos escapuliam a toda hora pro meu cabelo — como se espiassem, em algum ponto da minha franja, o decote de uma mulher. "Tá olhando o quê, Flávio?!" "Nada, nada", ele disfarçou, engatando um papo sobre o filme. Resolvi não pensar a respeito: devia ser apenas coincidência.

Domingo, contudo, não deu mais pra ignorar a situação: terminado o almoço de família, meu pai me chamou de lado, pôs a mão no meu ombro e, cuidando pra que nenhum parente ouvisse, cochichou: "Acaju?".

Que fique claro: não tenho nada contra quem pinta o cabelo. A natureza é cruel, a vida é curta, cada um sabe a dor e a delícia de ser o que é — ou, no caso, o que não é. Se estivesse ficando grisalho, talvez até cogitasse tingir, mas não estou: a passagem do tempo ameaça meu cocuruto menos com a brancura invernal do que com o desfolhe do outono, razão pela qual, desde que as entradas começaram a galgar meu couro cabeludo [sic], lá pelos dezessete anos, passei a tomar diariamente um comprimido de Finasterida.

Sim, sarcástico leitor, aquele comprimido que causa, em 1% dos usuários, a perda temporária da libido — e em 99% das menções, piadas a respeito. Garanto, contudo, que nunca senti os efeitos colaterais. Minhas brochadas, dos dezessete pra cá, foram 100% orgânicas, fruto da soma de minhas inseguranças às opressivas qualidades de algumas moças, pobres moças, que esperavam atingir os píncaros da glória e escalaram somente o ápice do meu constrangimento. Ou, pelo menos, o que eu acreditava ser o ápice do constrangimento, até descobrir, dias atrás, que meus amigos, parentes e colegas de trabalho acham que eu pinto o cabelo. Escondido. De acaju.

Como assim, pessoal? Eu faço análise. Frequento o Teatro Oficina. Falei de calvície e brochadas um parágrafo acima. Por que iria pintar o cabelo escondido? E, se o fizesse, por que diabos escolheria o tom usado por Silvio Santos?

Por mais que eu me defenda, contudo, o espelho me obriga a dar aos boatos algum fundamento. Meu cabelo, que foi loiro na infância e castanho desde a adolescência, deu para, aos trinta e cinco anos, irrefletidamente refletir um suspeitíssimo escarlate — ou, como diz o Houaiss, na precisão cruel dos dicionários, certa cor "castanho-avermelhada da madeira do mogno": o acaju.

Não sei se é o sol, a falta de sol, o aquecimento global, o glúten, a fenilalanina ou o estresse, sei é que me encontro numa sinuca de bico: se quiser que parem de pensar que tinjo o cabelo, terei de começar a tingi-lo. Me informei a respeito e parece que se me submeter a umas tais "luzes", obterei um efeito que lembra o grisalho — ou o Bon Jovi, dependendo da fonte consulta-

93

da. Não, não teria coragem. Talvez a única saída digna seja parar com a Finasterida, assumir o outono e deixar que leve consigo o que lhe é de direito. Cruel é a natureza — mais cruel, só mesmo o acaju.

K entre nós

Gesiel, desculpa te escrever assim, uma carta aberta, no meio do jornal. Sei que talvez cause algum transtorno: comentários de vizinhos, brincadeiras de colegas, parentes ligando, atravancando sua quarta-feira, mas não se preocupe, alguém já disse que "a crônica produz a notoriedade e garante o esquecimento": hoje, somos famosos, amanhã estaremos forrando o chão das obras e embrulhando peixe.

Não nos conhecemos. Meu nome é Antonio de Góes e Vasconcellos Prata. O seu é Gesiel Mariano de Barros — pelo menos, é o que está escrito na correspondência bancária que recebo aqui em casa, todo mês. É estranho, pois moro em Cotia e você, segundo sugerem os envelopes, em Duque de Caxias. Mais estranho ainda é que aí em Duque de Caxias haja uma rua com o mesmo nome da minha, uma casa com o mesmo número, num bairro quase homônimo: Residencial Par, o seu, Residencial Park, o meu — mas se o correio não repara nem que vivemos em cidades diferentes, imagina se vai notar esse minúsculo K perdido na vastidão do Brasil?

Pois eu reparo, todo mês. Pego a correspondência, vejo seu nome no envelope, penso "ih, carta pro Gesiel, de novo..." e digo a mim mesmo: de hoje não passa! Vou ligar pro banco, avisar do equívoco, resolver a situação.

Acontece que sou um fraco, Gesiel. Quantas vezes não digo que vou começar uma natação, um romance, abrir uma previdência privada? Pobres das minhas artérias, da minha produção, da minha velhice. Pobre de você, cujas cartas vão parar na fruteira da sala, uma fruteira que nunca viu mangas ou carambolas e vive abarrotada de folhetos de dedetizadoras, cardápios de pizzarias, clipes, tampas de Bic e dois anos de seus — suponho, pois nunca abri — extratos bancários. Dois anos que sofro um pouquinho, toda noite, antes de dormir, pensando em você aí, no Residencial Par, em Duque de Caxias, brigando com o banco, pelo telefone.

"O mais importante e bonito do mundo", contudo, como escreveu citando Guimarães Rosa, "é que as pessoas ainda não foram terminadas. [...] Afinam ou desafinam." Pois, semana passada, resolvi me afinar um pouquinho. Tive um desses surtos civilizatórios: arrumei gavetas, mandei fazer barra nas calças, chamei o homem pra ver a infiltração do banheiro, peguei suas cartas na fruteira e, finalmente, liguei pro banco.

Sabe o que me disseram? Que pra regularizar a situação, só com o seu CPF. "Moça, como eu vou ter o CPF do Gesiel?! Eu não conheço o Gesiel! Vocês conhecem! Ele tem conta aí: Gesiel Mariano de Barros, é só conferir!" Ela resmungou, disse que ia ver o que dava pra fazer, mas pelo jeito não viu: ontem chegou mais uma de suas cartas, só me restando, portanto, escrever esta crônica e torcer pra que antes de forrar obra ou embrulhar peixe ela passe por você.

Vou cruzar os dedos. Ah, e se por acaso estiverem chegando aí cartas para um certo Antonio, favor mandar pro seu mesmo endereço, só que em Cotia e colocando um K depois do Par. Sem pressa: não sei como está sua situação bancária, mas com este que vos escreve, pelo menos, você tem vinte e quatro meses de crédito. Abraço, Gesiel, e boa Páscoa.

Estado de graça

Dizem que são os hormônios, mas pode ser também a emoção ou as toxinas liberadas pelo bebê, o fato é que durante a gravidez as mulheres padecem de um, digamos assim, "handicap" cognitivo. As queixas variam de gestante pra gestante: há quem fique esquecida, quem funcione mais devagar; uma amiga relatou sérias dificuldades pra acompanhar a trama d'*A rena de nariz vermelho*, enquanto outra foi encontrar as chaves do carro "guardadas" no congelador — a fôrma de gelo ela procura até hoje.

Para a glória e felicidade deste que vos escreve, minha mulher foi acometida, há sete meses e uma semana, por sintomas semelhantes. Digo glória e felicidade não apenas pela paternidade que se aproxima, me resgatando desta vil existência mortal e me cadastrando na eternidade, mas porque devido ao supracitado torpor gestacional, uma transformação inédita ocorreu no córtex de minha amada: ela deu pra me achar engraçado.

Por seis anos, usei de todos os artifícios pra fazê-la rir — embalde. Não que ela seja triste ou lhe falte humor, longe disso, é que se trata de uma pessoa mais refinada do que eu — ou, pelo menos, do que minhas piadas. Gosta de ir a balés, a exposições, adora filmes de países remotos em que há mais balido de cabras e silvos do vento do que diálogos entre seres humanos. Não estou sendo irônico: admiro muito seu gosto e toda vez que, procurando um Bob Marley em nosso iPod, tropeço num Tchaikóvski ou esbarro num Chopin, percebo o quanto ela me fez crescer, evoluir. Não fosse ela, eu ainda estaria por aí — de moletom, provavelmente —, dizendo coisas como: "É pavê ou pacomê?!".

Ter em casa uma crítica tão implacável fez de mim, modéstia à parte, um Stalone em *Rocky IV*, treinando na neve, um Daniel San em *Karatê Kid*, pintando muros: me ensinou a ver na adversidade os halteres do espírito. Espírito que hoje, fortalecido, evita por exemplo, mesmo que sob fortíssima tentação, terminar o presente parágrafo com "Wim Wenders e aprendendo".

Ou melhor, evitava, pois veio a gravidez e, num de seus muitos passes de mágica, mudou tudo. Se, antes, em meus melhores momentos seinfeldianos, merecia no máximo um sorriso, hoje arranco aplausos com qualquer tirada de *Zorra Total*. Os halteres enferrujam na área de serviço de minh'alma. Tô pior que tio bêbado em festa de família; é do pavê pra baixo — e só sucesso.

Que sábia a natureza: durante anos, todo mês, manda a TPM pra mulher, aguçando seu senso crítico, como se lhe sussurrasse: "Tem certeza de que é esse aí o cara ideal pra propagar os seus genes?". Após a fecundação, contudo, sabendo da necessidade de um companheiro pra trazer javalis abatidos, fraldas descartáveis e apoio moral, os hormônios baixam radicalmente os critérios, como se sugerissem à moça, em relação ao marido: "Se só tem tu, vai tu mesmo!". Ainda que "tu" seja esse cara aí no chuveiro cantando um velho clássico do *Casseta & Planeta* e, veja só, lucrando uma bela gargalhada.

Filhota, prometo fazer tudo o que estiver ao meu alcance pra ser um bom pai. Uma coisa, contudo, eu garanto: serei um pai engraçado. (Embora, talvez, vá levar uns trinta anos pra você começar a apreciar as minhas piadas.)

Apolpando

Eu gosto de goiaba, mas não gosto de comer goiaba. Ela tem uns caroços que não são grandes, mas são duros: você deve mastigar com cuidado, só até seus dentes tocarem um deles, então você para — é como se nunca pudesse fruir plenamente das potencialidades da goiaba.

Eu gostava da Alice, mas não gostava de namorar a Alice. Ela tinha umas implicâncias que não eram grandes, mas eram pétreas: eu tinha que me aproximar com cuidado, só até roçar em suas defesas — era como se eu nunca pudesse fruir plenamente das potencialidades da Alice.

Quando terminamos, pensei: nossa, que mulher incrível seria Alice sem caroços.

* * *

Uma noite, muito tempo depois de terminarmos, Alice apareceu aqui em casa. Com outras palavras, disse que eu só era capaz de me relacionar com maçãs: pessoas homogêneas, medíocres, com quem você pode conviver sem se preocupar com a casca, os caroços, segurando pelo cabinho, sem melar as mãos. Acho que ela via a si própria como uma espécie de romã.

* * *

A banana é uma das frutas mais saborosas que existem e é, sem dúvida, a mais fácil de comer. O que joga por terra a falácia de que as pessoas interessantes ou inteligentes ou talentosas devem ser antipáticas, cheias de caroços ou difíceis de descascar. (Pena que, naquela noite, não pensei nisso.)

* * *

Chega de Alice. Falemos de coisas boas.

* * *

Se o mundo fosse justo, era a manga, não a maçã, o paradigma da fruta; *pomme* em francês seria manga; a serpente ofereceria manga a Adão e Eva (ah, o sexo que perdemos!);* Steve Jobs teria ficado rico pondo suas manguinhas de fora; Newton teria tirado a famosa soneca à sombra de uma mangueira.

Não: se uma manga caísse na cabeça de Newton, ele a teria comido e mandado a física pras cucuias — que gravidade resiste a este Sol da Terra?

* * *

Nunca achei a menor graça na Audrey Hepburn — uma uva, diriam muitos: não discordarei, mas prefiro as mangas; ah, Sophia Loren!

---

* Ver *Esta é a verdadeira história do Paraíso*, de Millôr Fernandes (Companhia das Letras, 2014).

* * *

Outro dia, meu pai veio me visitar e trouxe uma caixa de caquis, lá de Sorocaba. Eu os lavei, botei numa tigela na varanda e comemos um por um, num silêncio reverencial, contemplando o jardim. Enquanto comia, eu pensava: Deus do céu, como caqui é bom! Caqui é maravilhoso! O que tenho feito eu desta curta vida, tão afastado dos caquis?!

Meus amigos e amigas e parentes queridos são como os caquis: nunca os encontro. Quando os encontro, relembro como é prazeroso vê-los, mas depois que vão embora me esqueço da revelação. Por que não os vejo sempre, toda semana, todos os dias desta curta vida?

Já sei: devem ficar escondidos de mim, guardados numa caixa, lá em Sorocaba.

Na maciota

No meió da adolescência, tendo em vista uma maior valorização de minha pessoa pelo sexo oposto, resolvi implementar algumas melhorias no layout e abri mão do conforto em nome da estética. Troquei os moletons pelos jeans, aposentei o relógio com joguinho e, mais difícil, abandonei os deliciosos tênis esportivos, passando a usar calçados com proposta: All Stars, Adidas vintage, Pumas invocados, sapatênis e outros modelos cheios de conceito e sem nenhuma tecnologia de entressola. Foram vinte anos castigando as juntas em nome do coração, batendo os calcanhares contra a rígida crosta terrestre, só pra tentar me mostrar um pouquinho mais atraente às mulheres — o que a gente não faz por amor?

Não sei se foi o aprimoramento de minha "identidade visual" — como dizem os publicitários —, o amadurecimento interior, o curso natural da vida ou tudo isso junto, só sei que funcionou. Longe de ter me tornado um Don Juan, mas consegui perder a virgindade (pra nunca mais encontrá-la — pelo menos não em mim), tive algumas namoradas, depois casei. E foi uma sensação de comezinha plenitude, uma cotidiana paz interior que me levou, semana passada, de volta aos tênis esportivos. Depois de duas décadas sem moleza — literalmente —, passei os últimos sete dias calçando um Nike Air de corrida, cinza e amarelo, tão aprazível às juntas quão desagradável à visão — pelo menos, à visão da minha mulher.

Ela está preocupada: não só com a feiura desses tênis, de cores berrantes e cheios de faixas refletoras — desenhados mais pra evitar um atropelamento na beira da estrada do que, digamos, pra serem exibidos no Bar Balcão —, mas com o que virá depois. Moletom? Roupão aos domingos? Bigode? Pijama na padaria? Rider, Deus do céu?!

Ontem, minha irmã me ligou. Sempre defensora da elegância e solidária à minha mulher, queria saber dos detalhes. "É dos coloridos?", "Não, não, branco é pior ainda", "Cê usa como, com jeans? Sei... E a meia, de que cor? Branca? Nossa...", "E se você usasse só dentro de casa?", "Eu tô falando é pelo seu bem!", "Tá, pela Julia, então! Pensa na Julia! Cê acha que é legal ela se arrumar toda e sair por aí com um marido de tênis de corrida?!"

Estou vivendo dias contraditórios. Me sinto feliz e culpado, como um fumante que retoma o cigarro após anos de abstinência. Me sinto reconfortado e aflito, como o divorciado que, fraquejando, volta ao casamento problemático. Estarei eu me libertando dos grilhões da moda ou me atolando na areia movediça da preguiça? Seria esse um movimento de independência ou apenas mais um passo em direção ao Homer Simpson que aguarda a todos os maridos depois de alguns anos de casado?

Não sei, mas acho que vale a pena insistir e ver no que dá. A cada dia, caminhando pela calçada, dando aquela corridinha pra atravessar a rua ou mesmo parado, numa fila, passando o peso de uma perna pra outra, tenho mais certeza de minha opção. Do pó viemos e ao pó voltaremos: que possamos ao menos colocar, entre o corpo e a terra, os anteparos necessários pra amaciar a jornada. A vida já é curta, meus amigos, não precisa ser dura também. E que venha o moletom! (Brincadeira, amor, brincadeira.)

O sustinho

Dentre as inúmeras manifestações da hipocrisia, a que mais me irrita é o sustinho. Falo daquele falso assombro interrogativo que certas pessoas demonstram ao ouvir uma pergunta que, embora tenham entendido, não foi feita de maneira precisa.

Você está no supermercado, chega pro funcionário da área de verduras e pergunta: "Amigo, faz favor, sabe se aqui vende aqueles tomatinhos?". Claro que o nome oficial do produto que você está procurando não é "tomatinho", é tomate cereja, mas você esqueceu e não achou que fosse necessário procurar a palavra nos baús da memória: afinal, se o sufixo "inho", em nosso idioma, caracteriza o diminutivo e os tomates cereja são a menor variedade do rubro fruto, não é preciso ser nenhum gênio pra concluir que tomate + inho = tomate cereja. O funcionário do mercado, contudo, é um adepto deste pequeno jogo de dissimulação, o sustinho, e não perde a chance de praticá-lo, soltando seu "Ãhm?!" estarrecido, como se você houvesse pedido elefantinhos, pergaminhos ou uma massagem tailandesa.

Ciente de que ele entendeu, de que só está querendo implicar, passa por sua cabeça, durante um segundo, não se render, bater o pé no chão e dizer "tomatinhos, sim senhor! E tire essa expressão de asco do rosto, impostor, pois sabe exatamente do que estou falando e se não me levar até eles imediatamente será atingido por uma abóbora japonesa!".

Pensando melhor, você decide evitar a discussão e fugir da briga, de modo que aceita o jogo e reformula a pergunta, "aqueles tomates pequenos, redondos, assim, ó, que vêm numa caixinha de plástico, sabe?". Percebendo que você se submeteu, que fez seu ato de contrição, o falsário simula uma pequena epifania: "Ahhhhhhhhhh! Tomate cereja! Por que não disse antes?! Ali, ó, embaixo das berinjelas".

O sustinho está tão difundido entre nós que quase já não o percebemos. É quase impossível pedir informação a um pedestre, por exemplo, sem ser recebido com um sustinho. Você pergunta pela Rubem Berta e ele, "Ãhm?! Rubem Berta?!". Você acha que ele não sabe onde fica? Que nunca ouviu falar? Nada, era só sustinho, uma pitada de malcriação antes de te explicar exatamente como chegar lá.

Infelizes daqueles que têm chefes chegados num sustinho. Não importa o que você pergunte ou sugira, ele sempre responde, de bate-pronto, com um "Ãhm?!" preventivo. Não é que não tenha ouvido ou não tenha gostado, ele apenas quer dizer que ali manda ele e, por isso, tem direito a essa farpa de sadismo. Há pessoas que, de tanto usar o sustinho, acabam viciadas. Não conseguem ouvir um "que horas são?" sem arregaçar os beiços e soltar seu mini-horrorizado "Ãhm?!".

Muito triste, meus amigos, o sustinho: não só por tratar-se de uma pequena agressão, um peteleco na orelha de nossa esperança na humanidade, mas porque usa as roupas e maquiagem do verdadeiro espanto, da surpresa genuína, que em grandes ou pequenas doses são sinal de saúde da alma e abertura do espírito

— bem diferentes dessa falsa careta de incompreensão, com que infelizes nos brindam diante das mais simples perguntas, com o único intuito de dividir conosco um pouco de suas amarguras.

Sobe o pano

Os amigos haviam nos alertado: "A gravidez dura nove meses mais um século" — só esqueceram de nos avisar que esse século demorava tanto. A espera é angustiante, mas compreensível: produzir um ser humano inteirinho, do zero, com braços, pernas, neurônios, vesícula, cílios, um coração e, muito em breve, infinitas opiniões sobre Deus e o mundo é um troço tão complexo que não seria despropositado se toda a existência do universo fosse consumida na formação de um único bebê.

Imagino o Big Bang como o momento da concepção, galáxias se formando feito órgãos, estrelas e planetas se multiplicando tais quais pequenas células, tudo se expandindo e se aglutinando, moldando um só corpo. Por fim, 13,7 bilhões de anos após a luz ter fecundado a escuridão, num domingo de julho nos idos de 2013, digamos, um neném gigante faria ecoar o seu pranto intergaláctico. Cai o pano.

Felizmente não é assim e cada um de nós (ou melhor, cada dois) pode brincar de Deus, fabricando uma criancinha pra chamar de sua. Trinta e oito semanas, dizem os livros, é o que leva pra ela estar completamente formada. Pois eis que chegou a trigésima oitava semana, a trigésima nona, a quadragésima e nada de nossa filha dar o ar de sua graça. O quarto estava montado. A mala da maternidade, feita. A cadeirinha, depois de uma batalha hercúlea, foi instalada no carro. O futuro avô veio de Florianópolis. Amigos mandavam smss: "E aí? Cadê??".

O ultrassom da última quarta não trazia novidades: a cabecinha ainda não tinha se encaixado, a dilatação não havia começado e a placenta funcionava perfeitamente, provendo nossa filha dos nutrientes e oxigênio necessários pra que seguisse com suas atividades de costume: lutar muay thai durante o dia e dançar foxtrote noite adentro.

Saindo da clínica, achei que havia chegado a hora de encararmos a verdade: a Olivia não iria nascer. Tinha decidido ficar ali no morninho, com aquele cabo usb ligado diretamente à barriga, num *all inclusive* que nem o mais farto dos resorts sonharia em oferecer. E quem iria convencê-la a trocar a mordomia intrauterina pelas frias tardes de julho?

Sei que é muita pretensão imaginar que eu tive qualquer influência no processo, colando a boca na barriga da Julia e falando sobre o sol, a praia e a cachoeira, a girafa, o pinguim e o canguru, o doce de leite, a manga e o leitão, *Toy Story I, II e III*, mas o fato é que, lá pelas três da tarde daquela mesma quarta-feira, começaram as contrações. Quinze horas depois, numa batalha excruciante que só se compara, em dificuldade e emoção, à instalação da cadeirinha, nossa Olivia fez ecoar pelo Itaim seu pranto intergaláctico. Veio ao mundo com 48,5 centímetros, 3,71 quilos e, para sua sorte, é a cara da mãe. Sobe o pano: aproveite o espetáculo, filhota.

Diário

Ou noitário? Tanto faz, já que dia e noite são conceitos ultrapassados e sem sentido neste insone fluxo neonatal. Vivo num JÁ contínuo em que se alternam momentos de paz (ela mama, ela dorme) e guerra (ela urra, ela urra, ela urra). Durante os armistícios, abro o laptop e tento gravar algumas memórias da caserna, pra que não se percam nesta terra de ninguém em que vagam meus combalidos neurônios. Mando aqui os que consegui copiar e colar, com a mão esquerda, enquanto a direita troca uma fralda.

— Segunda, *circa* 2:00 a.m.: Ela dormia como um anjo e acordou como uma motosserra. Chorou ininterruptamente por quarenta minutos — ou quatro horas? Tivemos vergonha de ligar pro pediatra só por causa de um choro. De modo que decidimos levá-la diretamente ao hospital. Na porta de casa, contudo, ouvimos a trombeta celeste anunciando a volta do Senhor e o fim das tribulações terrenas: era um pum. E com o pum veio a paz, e com a paz, o sono.

— Babação #35: Imagino aquele punzinho se espalhando

pela atmosfera e não consigo deixar de pensar que o mundo agora é um lugar melhor. É grave, doutor?

— Ideia #9: O inventor da babá eletrônica deveria ganhar o Nobel.

— Babação #36: Abro as fraldas com a curiosidade de quem confere a caixa de entrada do e-mail. Haverá alguma mensagem? Qual a cor, a consistência? Quando fecho os olhos, todos os cocôs desfilam pela memória, como num baralho ilustrado por Pollock. É muito grave, doutor?

— Segunda, 8:32 a.m.: Ela mama com a sede de um náufrago. Então, sem aviso prévio, joga a cabeça pra trás e dorme, como se o último gole de leite fosse um trago de ópio.

— Desafio #149: Sem que houvesse qualquer debate, decretou-se que eu era o encarregado pelo banho. Não acho que eu seja a pessoa mais indicada para a tarefa. São vários procedimentos de alta complexidade e extrema periculosidade num curto espaço de tempo. Aprender a dirigir foi mais fácil.

— Mantras: "O movimento do algodão é sempre do limpo pro sujo". "Jamais se afaste do trocador." "Sempre sustente a cabeça." "Relaxa, isso é cólica." "Relaxa, isso é cólica." "Relaxa e tenta acreditar: isso é cólica."

— Mistério #91: Como as pessoas fazem pra criar filhos e, ao mesmo tempo, trabalhar? Tolstói teve treze rebentos e *Guerra e paz* tem 2536 páginas (aposto que Tolstói não era o encarregado pelo banho na casa dele).

— Ideia #9B: O inventor da babá eletrônica deveria ser guilhotinado.

— Ideia de livro infantil, para o caso improvável de algum dia eu voltar a trabalhar: *Os heróis Colostro e Hipoglós lutam contra os vilões Mecônio e Icterícia*.

— Observação #78: Todos os clichês fazem sentido. Em cada bocejo contemplo O Grande Movimento do Universo. Ao lado do berço, sussurro: "Olivia, você não existia e agora existe: olha só o que você fez, sua doida!".

— Correção #1: Vinicius de Moraes escreveu: "Filhos?/ Melhor não tê-los!/ Mas se não os temos, como sabê-los?". Eu o corrijo: "Filhos?/ Melhor tê-los!/ Mas os tendo, é impossível sabê-lo".

— Relatividade #4: Já estamos em casa há extenuantes vinte e quatro horas e parece que foi ontem que chegamos.

— Dúvida atroz: das dicas de amigos, devo me agarrar ao "calma que passa!" ou ao "aproveita que passa rápido!"?

Mando mais trechos deste noitário (ou diário?) semana que vem. Ela fez xixi enquanto eu trocava a fralda e não vou conseguir continuar digitando com uma única/

Do chutão

Na última quarta, enquanto via o Corinthians passar heroicamente pelo Santos e chegar à sua primeira final de Libertadores, entendi a complexidade e a beleza sutil de uma jogada geralmente pouco valorizada pela crônica esportiva: o chutão.

Embora fracasso de crítica, poucos lances são mais aplaudidos no estádio: a bola sobra próxima à área, o zagueiro vem em desabalada carreira e, com um botinaço sem dó nem rumo, manda-a para a lateral, para a frente, para a linha de fundo, até, se for o caso: importante é isolá-la. O petardo é dado com uma convicção talvez só comparável à do maestro no último movimento da batuta, ao final de uma sinfonia, à estocada mortal do toureiro no cangote da besta arfante, à derradeira ondulação dos corpos no momento preciso do orgasmo. E, enquanto a bola segue sua trajetória rumo ao alambrado, à arquibancada, à rua, à lua e além, a torcida aplaude, vigorosamente.

O que, exatamente, a torcida aplaude? A eficácia da jogada? Não. Se fosse assim, maiores seriam as palmas quando o zagueiro domina a bola e a toca pro lateral, quando a lança pra um centroavante e dá início a um ataque: afinal, é mais seguro pro time que se defende manter a bola nos pés que mandá-la pra fora e a fazer voltar ao campo nas mãos do adversário.

Acontece que o futebol, embora bretão, não é 100% razão: o chutão, creio, é aplaudido menos por seu efeito prático do que por sua eficácia simbólica. Não é uma solução, mas uma declaração de princípios: aqui estou eu, pondo meu coração na ponta da chuteira, tão empenhado em vencer que, em vez de fazer o que seria mais inteligente, mais prudente, dominar e passar a bola, a enviarei pra Conchinchina. A torcida aceita o paradoxo — um cuidado tão grande que descamba pro descuido — e vibra.

Há na cultura do chutão algo de profundamente brasileiro e essencialmente corintiano. Assisti, por esses dias, a um ou outro jogo da Eurocopa. Poucos são os chutões e, quando há, jamais vêm acompanhados por palmas. Séculos sob a influência de Descartes, Kant e Maquiavel fazem com que o torcedor aplauda lançamentos longos, inversões de jogo, a tática, enfim, as vitórias do intelecto sobre o instinto, do treinamento sobre o falível corpo humano. A vitória do europeu é a vitória da lógica. Já para o brasileiro e, mais ainda, o corintiano, trata-se do contrário. País de traficantes, cativos e degredados, time de maloqueiros e sofredores, a vitória pra nós é a coroação da improbabilidade, da reversão de expectativa. Não vencemos "por causa", vencemos "apesar de".

O chutão é, portanto, um ato de fé. A bola que sobe aos céus é uma humilde oferenda aos deuses, levando consigo todo o nosso empenho, nossa devoção, levando a crença de que, apesar de nossas falhas e fraquezas, se dermos tudo de nós as divindades descerão de suas altas moradas e nos auxiliarão com aquele gol de canela no rebote do escanteio, aquele gol de barriga aos quarenta e sete do segundo tempo; aquele gol tão corintiano, capaz de, por instantes, redimir nossa sofrida humanidade.

115

Sua vez

Eu vinha voando, era como aquele banquete no final do *Asterix*, só que no jardim da minha avó, eu vinha planando devagarinho em direção ao javali e já estava quase dando uma dentada no glorioso pernil quando uma dedada nas costelas me fisga de volta ao mundo dos vivos: "Sua vez, sua vez, vai lá que ela tá chorando faz tempo".

Leva a eternidade de uns dois segundos pra eu entender que não sou um gaulês vitorioso, não sei voar, não há banquete nem javali, são quatro e doze da manhã, metade das cervejas de horas atrás ainda circula no meu sangue em forma de álcool, a outra metade já se emplasta em meus neurônios em forma de ressaca, minha filha chora no quarto ao lado e cabe a mim tomar uma atitude.

Eis a minha atitude, tão honrosa quanto permite a situação: "Eu fui à uma!". Do outro lado da cama, porém, vem a resposta incontornável: "Eu fui às três". Sou eu, não resta dúvida, quem terá que deixar esta cama quentinha e sair tropeçando pela noite escura. Caso precise fazer uma mamadeira, gelarei os pés nos antárticos azulejos da cozinha. Caso precise trocar a fralda, acabarei com cocô nas mãos, nos braços e há chances nada remotas de levar um jato de xixi. Tais vislumbres não me parecem ruins: eles doem.

Diante desta dor, deste frio, deste sono que vem de algum lugar entre as trevas antediluvianas e as cervejas pós-jantar, não sou mais uma pessoa boa, um pai esforçado, um filho da revolução cultural dos anos 60 que acredita em direitos iguais pra homens e mulheres, sou um monstro cujo único objetivo é seguir dormindo — um ciclope cujo olho solitário enxerga unicamente o travesseiro.

Penso que se eu simplesmente não for, se eu virar pro lado e dormir, alguma hora, depois de pedir o divórcio, minha mulher terá de ir, mas não me parece uma boa estratégia, o divórcio. Penso em dizer "Não vou porque eu trabalho o dia inteiro pra sustentar essa família!", mas a minha mulher também trabalha o dia inteiro pra sustentar essa família. Penso, então, em tomar coragem e agir como um homem: dizer que tô indo comprar cigarros na esquina e nunca mais voltar, mas é inútil, pois pra ir comprar cigarros na esquina e nunca mais voltar eu teria que abrir mão de tudo o que me é mais precioso: esta cama quentinha.

Entorpecido pelo coquetel de sono, álcool e choro de bebê, penso, nostálgico, em Bogart, em Tony Soprano, em Don Draper. Duvido que tenham trocado uma fralda sequer. Invejo os colonizadores europeus. Os reis zulus. O exército de Genghis Khan. Os romanos e os gauleses. Homens num mundo de homens, por homens, para homens. Um mundo em que a fumaça vinha dos assados ou dos vilarejos incendiados, não dos sutiãs queimados em prol da — por quê?! Por quê?! — igualdade.

Maldito Iluminismo! Maldita Inés de la Cruz! Maldita *Casa de bonecas*! Maldito século xx! Maldita psicanálise! Maldita Simone de Beauvoir! Malditos filmes europeus! Maldita Virginia

Woolf! Malditos hippies! Maldita Yoko! Maldita Leila Diniz! Maldito parto humanizado! Malditas peladonas de protesto! Malditas lésbicas da novela! Malditos vibradores! Malditos! Malditas!

"Vai! É a sua vez!" — e eu vou, praguejando contra a injustiça de um mundo justo, tropeçando pela noite escura.

Impressões digitais

Isso não é um dedão do pé, é uma declaração de princípios, pensei, assim que o pintor sentou na cadeira de praia, ao meu lado. Da primeira falange, brotava meia dúzia de pelos mal-ajambrados, feito capim que tivesse nascido numa rachadura da calçada, secado ao sol e sido descabelado pelo vento. A unha não devia ser cortada havia uns três meses — ou, pelo menos, não inteiramente cortada, pois a frente, que na maioria dos dedões é uma reta ou uma meia-lua, era quase um S, como se ele houvesse dado uma dentada com o Trim, dito "Ah, que se dane..." e resolvido ir pintar um quadro, beber conhaque ou cair nos braços de uma de suas assistentes — sempre lindas, sempre jovens, sempre apaixonadas pelo grande artista.

Sob os dois cantos da unha havia aglomerações escuras, em que uma escavação arqueológica certamente encontraria: tinta óleo, aquarela, fixador; seda para cigarros, cashmere, pelos de pincel; poeira de botecos sórdidos do centro do Rio, poeira de restaurantes chiques de Nova York, certa poeira oriunda da Amazônia colombiana; uma ou outra assistente linda e jovem, fossilizada.

O conjunto da obra formava uma instalação, uma metonímia do artista, onde se lia seu desprezo pelas coisas chãs: nosso século higienizado a álcool gel, nossa ilusão na manutenção do corpo e sua unção via Photoshop. Afirmava-se, ali, a prevalência das pulsões sobre a razão e vislumbrava-se a aceitação da morte. Um dedão romântico. Um dedão beatnik. Um anacrônico dedão.

* * *

Correndo pela praia, veio o jovem colecionador do mercado financeiro, dono da casa em que o pintor estava hospedado. Sentou, deu um gole num isotônico, tirou o tênis, e a paisagem mudou da água pro vinho — ou, mais precisamente, do vinho pra água. Não seria absurdo se alguém afirmasse que ele tinha corrido até o fim da praia, parado num podólogo e voltado. Aquele dedão também não era apenas um dedão, mas sim uma declaração de princípios. Se você chegasse bem perto veria, onde o artista cultivava o anárquico tufo de capim, apenas uns furinhos — o jovem colecionador do mercado financeiro arrancava os pelos com pinça, um a um, a cada quinze dias. A unha era um retângulo perfeito, pequena tela brilhante capaz de refletir as nuvens do céu em full HD. Os cantos estavam impecavelmente limpos: uma escavação arqueológica sairia de mãos vazias, dando apenas, talvez, com um leve odor de talco ou água sanitária.

O conjunto da obra era uma metonímia do jovem colecionador do mercado financeiro. Uma ode ao controle, ao planejamento, um pequeno totem anal-retentivo em homenagem ao mundo administrado. Aquele dedão comemorava o triunfo da razão sobre os instintos, a vitória do homem sobre a natureza, cria-se imbatível, imortal, dava um pontapé na passagem do tempo. Um dedão de alta performance. Um dedão ISO 12 000. Um atualíssimo dedão.

* * *

Então os dois se levantaram e foram em direção ao mar, discutir, com água pelas canelas, quanto custaria para a visão de mundo de um ir parar em cima da lareira do outro.

Eu fiquei ali, sozinho com meus dedões.

Gênesis, revisto e ampliado

Então o Senhor Deus disse a Adão: "Porquanto deste ouvidos à tua mulher, e comeste da árvore que eu te ordenara não comesses: maldita é a terra por tua causa; com o suor do rosto comerás o teu pão, até que te tornes à terra; porque dela foste tomado; porque tu és pó e ao pó tornarás".

E, vendo o Senhor Deus que Adão fazia-se de desentendido, disse: "Espera, que tem mais; não só custará o pão o suor de teu rosto, como aumentará a circunferência de tua barriga, e a circunferência de tua barriga desagradará à Eva, e Eva te dará chuchu, e quiabo, e linhaça, e couve, e outras ervas que dão semente e leguminosas que dão asco, e delas usarás como alimento em teus dias de tribulação".

E disse também o Senhor: "Porquanto comeste da árvore, porei em teu encalço insetos peçonhentos, e serão pernilongos nas cidades, e nas praias borrachudos serão; e ordenarei que te piquem bem na pelinha entre os dedos dos pés, e que zunam em teus ouvidos, e nas noites sem fim recordar-te-ás de teu criador".

Não satisfeito com os castigos, continuou o Senhor Deus:

"Que destas ventas por onde soprei a vida escorra muco, e que seja frio e pegajoso como as escamas da serpente, e caudaloso como as águas do Jordão, e que brote numa sessão de cinema, ou no Theatro Municipal, e que tenhas à mão somente uma folha de Kleenex, e que com ela te enxugues e te assoes, até que se esfacele a última fibra de celulose, marcando teu rosto com inumeráveis pontinhos brancos, como marcarei a face pecadora de Caim".

E assim vagarás pela terra, disse o Senhor Deus, pois grande é o teu pecado. E disse mais: "Cansado de perambular pela terra, inventarás o automóvel, mas o automóvel só fará multiplicar o teu cansaço; e gastarás metade de teus dias na Marginal, e roubarão teu estepe, e te esquecerás do rodízio, e os pontos de tua carteira excederão o máximo permitido pelo Detran, que será vinte e um, e andarás de táxi, e ouvirás elogios aos grupos de extermínio e diatribes contra imigrantes haitianos, e sentirás na carne a miséria de tua descendência".

"Em vão, buscarás refrigério em viagens, mas quando no aeroporto estiveres, e chegares ao portão 4, alto-falantes te mandarão para o 78; e quando o 78 alcançares, serás mandado de volta ao portão 4, e faminto pagarás dezesseis reais num pão de queijo e numa Coca, e a Coca será de máquina, e o pão de queijo estará murcho e frio."

Então, visto que se aproximava a viração do sétimo dia, Deus se apressou, e disse: "Que o sal umedeça, que o bolo seque, que a meia fure, que a privada entupa, que o dinheiro escasseie, que o cupim abunde, que a unha encrave, que a internet caia, que o time perca, que a criança chore, que o churrasco do teu cunhado seja melhor que o teu, e que todos assim concordem, inclusive Eva, e que, largado num canto da varanda, com tua Skol quente na mão, te lembres que eu sou Deus todo-poderoso, El Shaddai, e que estou acima de todas as coisas, inclusive de tua careca, que não temerá a Finasterida, não aceitará o Minoxidil nem reagirá às preces que, em vão, me enviarás".

E, dizendo isso tudo, o Senhor Deus lançou Adão para fora do jardim do Éden, e lançou Eva para fora do jardim do Éden, varão e fêmea, os lançou.

Dente por dente

Eu estava escovando os dentes no banheiro do Sesc, depois do almoço e antes de uma reunião, quando um cara entrou. Confesso que ao ser flagrado ali, naquele momento meio íntimo, fiquei um pouco envergonhado. Um pouco só, mas o suficiente pra abaixar a cabeça e diminuir o ímpeto da escovação — passando de espadachim a enfrentar dois inimigos simultaneamente num filme mudo a um inglês no metrô falando ao celular. Talvez você, que tem um emprego de verdade e fica o dia todo fora de casa, ache este reflexo pudibundo uma frescura de moçoila da belle époque. É, é meio ridículo mesmo, mas a gente que trabalha em casa e tem como único colega de batente um pombo cinza que vez ou outra pousa na janela vai ficando aos poucos com umas manias de filho único: muito cioso do próprio espaço, sem saber brincar em turma, de modo que, quando o cara entrou, como eu já disse, abaixei a cabeça e assumi uma circunspecção de mictório.

Meu casulo, contudo, se desfez bem rápido, pois o sujeito parou ao meu lado, tirou da mochila um nécessaire e começou,

125

ele também, a escovar os dentes. O leve constrangimento se foi e deixou em seu lugar uma pequena felicidade. Pequena, mas suficiente pra me fazer levantar a cabeça e, pelo espelho, acenar com uma sobrancelha ao meu parceiro de escovação. Foi um gesto discreto, da mesma envergadura do meu constrangimento e do meu alívio, só um meneio cúmplice de boas-vindas, como uma pessoa que, abrigando-se da chuva sob uma marquise, vê chegar outro cidadão ensopado. O cidadão, contudo, não era muito de dividir marquises: fingiu que não me viu, pregou os olhos no espelho, franziu as sobrancelhas e deu início aos trabalhos com uma fúria de enceradeira.

Veja, não sou uma pessoa carente. Minto, sou carente, somos todos carentes, mas não sou um chato. Eu não ia, caso ele respondesse a meu aceno, puxar um papo sobre pasta de dentes e logo em seguida alugá-lo por meia hora com minhas queixas sobre o trânsito, a dor no ciático e a crise econômica. Era só um "Vai, Corinthians!" ao cruzar um cidadão vestindo a camisa alvinegra, um "Que chuva, hein?!" pro vizinho, no elevador, uma dessas microparcerias que deixam a vida na cidade menos desoladora.

Fala-se muito mal de papos sobre o tempo: pois eu acho uma grande conquista da civilização. Você entra no elevador, o senhor do 903 entra no elevador: se ficarem em silêncio, terão de atravessar os infinitos minutos olhando pro teto, pro chão, lendo ininterruptamente Atlas, Atlas, Atlas, Atlas ou mexendo no celular — sem sinal. Mas basta um dos dois dizer "Que calor, hein?" e o outro responder "Dos infernos…" e, pronto, uma brisa refresca aquele mormaço.

Infelizmente, meu vizinho de pia não compartilhava do mesmo protocolo de civilidade: seguiu fechado em sua sanha escovatória. Infelizmente pra ele, pois saindo dali o cara descobriu que era comigo a reunião das duas e ambos sabíamos muito bem o que tinha acabado de acontecer e ele aceitou o orçamento que havia me dito por e-mail que não dava pra aceitar e topou o prazo que havia jurado que não conseguia me dar e eu só não levei pra casa sua mesa, sua cadeira, seu computador e sua carteira porque sou um homem honesto e não gosto de me aproveitar dos outros nos momentos de fraqueza.

Vini, vidi, perdidi

Enquanto perdurarem meus dias sobre a terra, trarei no peito a cicatriz do Massacre de Frankfurt; batalha inglória em que onze galhardos e desentrosados escritores brasileiros foram trucidados pelo azeitado escrete de escribas alemães. Mesmo no silêncio da alcova, recostado nos braços da madrugada, buscando na breve morte do sono o consolo para as tormentas da vigília, visitar-me-ão em pesadelo os três atacantes teutões que, por noventa minutos, esbaforido, tentei marcar — o altão, o gigante e o Golias —, embalde.

Quem sabe, até, ao fechar os olhos, no apito derradeiro de meu tempo regulamentar, verei as três bestas loiras galopando, bufando, passando por mim como se eu fosse um campônio ignaro ou um cone de treino e marcando não uma nem duas nem cinco, mas nove vezes, como fizeram na noite infame daquela sexta-feira, 11 de outubro do ano da (des)graça de 2013.

Ora, pra que tanto drama? O que eu esperava? O Autonama (Autorennationalmannschaft), time de escritores germânicos que enfrentamos durante a Feira de Frankfurt, joga desde 2005, com técnico, uniforme, juiz e bandeirinha. Já nós, o Pindorama FC, tínhamos apenas dois meses e o sentimento do mundo; no currículo, somente um par de treinos, sete contra sete no Playball da Barra Funda — os onze nunca haviam estado do mesmo lado num campo oficial.

Dadas as circunstâncias, 9 × 1 (o nosso saiu aos quarenta do segundo tempo, num pênalti pra lá de duvidoso) nem foi tão mau assim. Veja o Taiti, por exemplo, é uma seleção profissional e tomou de 10 × 0 da Espanha, na Copa das Confederações. Bem pior, não?

Devo dizer, ainda, em defesa da nossa honra — se é que restou alguma a ser defendida —, que nem todos no Pindorama eram pernas de pau como eu: Rogério Pereira, o Pelé Polaco, Marcelo Moutinho, o Canhão de Madureira, Zé Luis Tahan, o Trator da Baixada, Celso de Campos Jr., El Capitán, Vladir Lemos, a Estrela de Santos, e Flávio Carneiro, o melhor jogador goiano de Teresópolis, são craques que, entrosados, colocariam nosso time em condições de ganhar não só de escritores alemães, mas até de engenheiros ou, quem sabe, de um selecionado de imigrantes turcos e africanos.

Éramos, no entanto, onze homens contra um time — e nem a mais deslavada arrogância brasileira pode achar que o talento individual, sem nenhuma organização, é capaz de vencer uma boa equipe treinada. (Muito menos uma boa equipe alemã treinada.)

Curioso é que, apesar do placar, do frio, das dores musculares e da sempiterna nódoa que carregarei em minh'alma, quando penso naqueles alemães, sinto-me grato. Organizaram um evento impecável, entramos em campo de mãos dadas com criancinhas uniformizadas, cantamos o hino e, durante o jogo, mesmo quando ficou claro que a Oktoberfest engoliria o Carnaval, não se viu um toque de calcanhar, não se ouviu um "Olé!". Dado o massacre, contudo, desconfio que minha gratidão tenha outro nome: síndrome de Estocolmo. Ou melhor: síndrome de Frankfurt.

Seja o que for, é inútil chorar sobre o Liebfraumilch derramado. Agora é bola pra frente. Ano que vem, o Autonama vem ao Brasil para a revanche: espero que saibamos recebê-los da mesma forma, de braços abertos e com os pés afinados.

Nas coxas

Senti o alerta de mensagem vibrar, levei a mão ao bolso da calça e percebi que estava sem o celular. "Céus", pensei — não sem um ligeiro terror, desses que nos acometem nos sonhos um segundo antes de virarem pesadelo —, "minha coxa teve uma alucinação."

Faz sentido. De uma hora pra outra, depois de trezentos mil anos exercendo sobre a Terra a única função de nos levar de cá pra lá, as coxas viraram um receptor tátil de todas as tranqueiras que, com uma vibraçãozinha, surgem no nosso telefone.

"Chegando em cinco", escreve um amigo (que chegará em vinte e cinco) no WhatsApp: brrrrrr. "Dentista amanhã, 16h30", avisa o Google Agenda: brrrrrr. "Acordado?", escreve por SMS, no meio da madrugada, o(a) ex-namorado(a): brrrrrr. "Vinte e uma provas de que Zeca Pagodinho é a pessoa mais legal do Brasil", postam no Facebook, tagueando, sabe-se lá por quê, o seu nome: brrrrrr.

Nada mais justo que esses 72,54 centímetros quadrados de pele (se você tiver um iPhone; caso tenha um Samsung Galaxy, são 91,12 centímetros quadrados), até então praticamente surdos-mudos, entrassem em parafuso ao serem subitamente alçados à categoria de telex da epiderme. É mais ou menos como pegar, sei lá, o Maguila e dizer: a partir de agora você é o âncora do *Jornal Nacional*.

Imagino o rebu lá no cérebro, assim que telefones passaram a vibrar no bolso. Os neurônios responsáveis pela sensibilidade das coxas deviam estar todos deitados em redes, fumando no narguilé e assoviando Bob Marley.

Só eram convocados ao trabalho quando você dava um colo ou usava o laptop. Mesmo nessas horas, era o emprego mais fácil do mundo, bastava gritarem lá pra dentro: "Aí, galera, avisa que deitou alguém!", "Aí, galera, tá rolando laptop! Tá meio quente!" e voltar pra pasmaceira. Então surgiram os celulares e esses neurônios obesos se viram obrigados a saltar do cochilo pro Iròn-man — sem escalas.

Agora mesmo, enquanto você lê esta crônica, uma revolução acontece na sua massa cinzenta. Há anúncios em todas as páginas da *Gazeta do Córtex*: "Coxa contrata neurônios. Áreas: epiderme, terminações nervosas, medula, cérebro". Novos escritórios estão sendo construídos, baias são abertas, faixas de ônibus e de bicicleta são pintadas nos nervos para que as células consigam chegar mais rápido ao novo emprego. Já há quem arrisque, no Twitter do lobo frontal: "A coxa é o novo olho".

Fico imaginando o que acontecerá com esses centímetros quadrados do nosso corpo em uns cem mil anos. Ficarão mais sensíveis do que as pontas dos dedos, os mamilos, o clitóris e a glande? E a parte do cérebro responsável por eles, de pequena choupana cheia de redes se transformará num ABC paulista neuronal? Seremos capazes de ler braile com as coxas? Gozar com as coxas? Prever a chuva, dar a temperatura, dizer "tô sentindo que cê não tá legal hoje" com as coxas?

Sei lá. O que sei é que enquanto nada disso acontece, numa tarde abafada de 2014, sobrecarregada, estafada, zumbi, minha coxa alucina, recebendo sinais do além. Ou talvez seja só o cérebro, chefe pentelho, conferindo: "Acordada?".

Cliente paulista, garçom carioca

Veja, aí estão eles, a bailar seu diabólico pas de deux: sentado ao fundo do restaurante, o cliente paulista acena, assovia, agita os braços num agônico polichinelo; encostado à parede, marmóreo e impassível, o garçom carioca o ignora com redobrada atenção. O paulista estrebucha: "Amigô?!", "Chefê?!", "Parceirô?!"; o garçom boceja, tira um fiapo do ombro, olha pro lustre.

Eu disse "cliente paulista", percebo a redundância: o paulista é sempre cliente. Sem querer estereotipar, mas já estereotipando, trata-se de um ser cujas interações sociais terminam, 99% das vezes, diante da pergunta "débito ou crédito?". Um ser que tem o "direito do consumidor" em tão alta conta que quase transformou um de seus maiores prosélitos em prefeito da capital. Como pode ele entender que o fato de estar pagando não garantirá a atenção do garçom carioca? Como pode o ignóbil paulista, nascido e criado na crua batalha entre burgueses e proletários, compreender o discreto charme da aristocracia?

Sim, meu caro paulista: o garçom carioca é antes de tudo um nobre. Um antigo membro da corte que esconde, por trás da carapinha entediada, do descaso e da gravata-borboleta, sauda-

134

des do imperador. Faz sentido. Para onde você acha que foram os condes, duques e viscondes no dia 16 de novembro de 1889 pela manhã? Voltaram a Portugal? Fugiram pros Açores? Fundaram um reino minúsculo, espécie de Liechtenstein ultramarino, lá pros lados de Nova Iguaçu? Nada disso: arrumaram emprego no Bar Lagoa e no Villarino, no Jobi e no Nova Capela, no Braseiro e no Fiorentina.

O pobre paulista, com sua ainda mais pobre visão hierárquica do mundo, imagina que os aristocratas se ressentiram com a nova posição. De maneira nenhuma, pois se deixaram de bajular os príncipes e princesas do século XIX, passaram a servir reis e rainhas do XX: levaram gins-tônicas pro Vinicius e caipirinhas pro Sinatra, uísques pro Tom e leites pro Nelson, receberam gordas gorjetas de Orson Welles e autógrafos de Rockfeller; ainda hoje falam de futebol com Roberto Carlos e ouvem conselhos de João Gilberto. Continuam tão nobres quanto sempre foram, seu orgulho permanece intacto.

Até que chega esse paulista, esse homem bidimensional e sem poesia, de camisa polo, meia soquete e sapatênis, achando que o jacarezinho de sua Lacoste é um crachá universal, capaz de abrir todas as portas. Ah, paulishhhhta otáááário, nenhum emblema preencherá o vazio que carregas no peito — pensa o garçom, antes de conduzi-lo à última mesa do restaurante, a caminho do banheiro, e ali esquecê-lo para todo o sempre.

Veja, veja como ele se debate, como se debaterá amanhã, depois de amanhã e até a Quarta-Feira de Cinzas, maldizendo a Guanabara, saudoso das várzeas do Tietê, onde a desigualdade é tão mais organizada: "Amigô, o bife era malpassado!", "Chefê, a caipirinha de saquê era sem açúcar!", "Ô, companheirô, faz meia hora que eu cheguei, dava pra ver um cardápio?!". Acalme-se, conterrâneo. Acostume-se com sua existência plebeia. O garçom carioca não está aí pra servi-lo, você é que foi ao restaurante pra homenageá-lo. E quer saber? Talvez ele tenha razão.

Abundância

Senta-se muito mal por este mundo afora: em bancos de concreto, em tamboretes frios de metal, em tábuas duras e sem encosto. Não entendo. Tenho cá pra mim que uma poltrona ou uma cadeira confortáveis são como um prato bem preparado, um copo de cerveja, um dia de sol: um breve alívio em nossa incessante caminhada por este planeta tão cheio de ladeiras, rampas e degraus. E, no entanto...

Conheço um homem muito rico que tem uma ilha. É dessas histórias: começou servindo cafezinho na empresa, bancou os próprios estudos, foi subindo, subindo, subindo, chegou à presidência, comprou uma ilha. Semana passada, me levou pra conhecê-la.

À casa, no alto do morro, ele não dá muita bola: "Essa parte é da minha mulher", diz, seguindo apressado em direção ao quiosque, uns cinquenta metros abaixo. Ali, à beira-mar, construiu um pantagruélico complexo gastronômico: churrasqueira, forno a lenha, geladeira industrial, máquina de chope com quatro torneiras, câmara fria e um forno de pizza grande o suficiente pra

136

assar dois carneiros inteiros — o que ele faz, algumas vezes por ano. O quiosque é sua Disneylândia, sua Shangri-La, o prêmio autoconcedido por tantos anos de abnegação. É onde pretende passar boa parte de seu tempo livre. Pois bem, no meio do quiosque há uma mesa de jacarandá e dois bancos compridos — sem encosto.

Não entendo: o cara gasta milhões de reais na ilha, mais alguns milhares no quiosque. Manda trazer cordeiros da Patagônia, faz pessoalmente a marinada com cinquenta litros de vinho branco, oitenta cabeças de alho, duzentos ramos de alecrim. Importa chope de uma microcervejaria dinamarquesa, regula a temperatura em $4,6°C$ — e depois disso tudo, depois de trinta anos de esforço e dezoito horas de lenta cocção, castiga o corpo cansado no tronco? Entrega o peso de seus ombros aos pobres músculos do abdome? Convenhamos: é impossível ser feliz sem apoiar as costas.

O leitor pode achar que é um problema do meu amigo. Culpa, talvez, por tudo o que conquistou? Nada. Ano passado, enquanto cobria a Olimpíada pra este jornal, visitei a Torre de Londres. Contemplei cetros de ouro maciço, coroas cravejadas de diamantes e tronos de reis e rainhas. Vocês já viram um trono? Ora, os líderes supremos do Império Britânico podiam apoiar seu poder no alto dos céus, mas os majestáticos glúteos apoiavam é em duríssimos assentos de madeira, com encosto reto, a noventa graus — isso, séculos após o glorioso advento da almofada. (Não é à toa que tenham deixado Índia, África e Ásia naquele estado.)

Sei pouco sobre a vida: nunca li Proust, minha matemática parou na regra de três e dos afluentes do Amazonas só me ocorrem o Negro e o Solimões, mas encontrei a minha poltrona. Nela aboletado, com os pés esticados num pufe, uma almofada escorando a cabeça e um copo de água com gás na mesinha ao lado, posso ler *A comédia humana* num fôlego, ver *Breaking Bad* de ponta a ponta, assistir à minha filha crescer.

Dizem por aí que a nossa missão na terra é escrever um livro, plantar uma árvore e ter um filho. Bobagem. O que importa é encontrar a sua poltrona. Tá bom: seu amor e a sua poltrona. O resto, se tiver que vir, virá.

A fuga do cativeiro egípcio

"Pequeno pânico" talvez soe incongruente, algo como "gigantinho" ou "minifuracão", mas foi exatamente o que senti ao vê-lo próximo à esteira de bagagens, acenando. Não, não somos inimigos, longe disso. Namoramos duas primas, lá por 96, dividimos a mesa em Pessachs, Rosh Hashanahs e Yom Kippurs, na casa da avó delas. Os dois góis — ele cristão e estudante de engenharia, eu ateu e aspirante a escritor —, procurávamos terrenos comuns pra escorar nosso deslocamento: eu lhe narrava a ideia de um conto, ele dissertava sobre as maravilhas do concreto armado e, assim, ficava mais fácil equilibrar as adolescências sob aqueles quipás. Dezoito anos e onze horas de viagem depois, contudo, às seis da manhã...

Fui empurrando o carrinho e arrastando meu pequeno pânico, pensando que seria tão mais simples se, num acordo de cavalheiros, nos ignorássemos mutuamente. Bastava monitorar o posicionamento do outro com a visão periférica e ficar de lado ou de costas, conforme a situação. Já não namorávamos as primas, não nos sentíamos perdidos entre contraparentes e rituais milenares, éramos apenas dois homens cansados, querendo ir logo pra casa. Agora, porém, era tarde: ele havia feito contato visual e estávamos irremediavelmente atados até que chegassem as malas, condenados a uma escavação arqueológica em busca de *gefilte fishes*, vergalhões enferrujados e contos nunca terminados.

Eu dei oi, apertamos as mãos. A conversa começou protocolar, "Poxa, quanto tempo", "Quinze anos? Mais?!?", "Tá vindo de onde?". Aos poucos, contudo, o papo engrenou: mesmo cansado, às seis da manhã, ele investia alguma energia pra que a coisa fluísse — energia que, momentos antes, eu preferia gastar metendo o nariz no iPhone. Das viagens fomos pras primas (uma se casou com um belga, a outra faz massagem ayurvédica), das primas pros jantares, dos jantares pras profissões. Eu falei do meu último livro, perguntei o que ele fazia, me contou que "desentortava prédios". Eu ri, curioso, ele disse que era sério, esses prédios que afundam, tombam um pouco pro lado, como os de Santos, é mais comum do que se imagina. Então, enquanto à nossa volta olhos sonados amaldiçoavam as malas alheias, deslizando como leões-marinhos pela esteira, eu ouvi atento o relato sobre tal milagre da engenharia: cavam um buraco embaixo do prédio, constroem uma espécie de piscina, enchem de água e congelam com nitrogênio. "A água, como você sabe, se expande ao congelar" — eu não sabia —, "o gelo empurra o prédio pra cima, aí é só escorar com uns pilares."

Quando nos despedimos, o pequeno pânico havia dado lugar a uma pequena culpa e a uma sincera admiração. Ali estava um sujeito generoso, não um sujeito que via o mundo sob a ótica do cálculo e do interesse. Ora, se na década de 90 havíamos concluído a fuga do Egito, mais de uma vez, tranquilos, o mínimo que deveríamos fazer ao nos encontrarmos no aeroporto, no mercado ou no Azerbaijão era apertar as mãos e investir algum esforço pra sermos agradáveis. Me senti uma besta. Paciência: uns nascem pra reerguer edifícios, outros pra embrulhar o remorso numa folha de jornal.

Por um fio

Não foram poucos os cineastas que filmaram o levante das máquinas contra o Homem. Em *2001: Uma odisseia no espaço*, o computador HAL se cansava de computar e partia pra um motim solitário, dominando a nave com sua melancólica agressividade. Em *Blade Runner*, androides superinteligentes saíam matando quem fosse preciso, em busca de uma recarga que estendesse seus curtos dias sobre a Terra. Em *O exterminador do futuro*, os robôs se davam conta de que já não precisavam mais da gente pra passar WD 40 nas juntas e, sem muita explicação, resolviam nos eliminar do planeta. Nos três casos, o embate se dava no futuro distante e o pega pra capar (ou pra desparafusar) era explícito. Ninguém percebeu que o golpe das engrenagens já estava em marcha — e na surdina — havia mais de cem anos. E como perceberia? Que mente anticlimática criaria filme tão triste em que os humanos seriam dominados não por gigantescos computadores, por replicantes perfeitos ou robôs soltando mísseis pelas ventas, mas por este aparelhinho ridículo chamado telefone?

Agora, olhando pra trás, tudo faz sentido; quase podemos

ouvir o ruído da nossa liberdade sendo sugada, pouco a pouco, pelos furinhos do bocal. Ora, uma geringonça que permite que você seja encontrado em casa, a qualquer momento, por qualquer pessoa, só podia estar mal-intencionada. Eis o plano inicial do telefone: jogar uns contra os outros, deixando os funcionários sob o controle dos chefes, as sogras próximas das noras, as ex-namoradas a poucos cliques dos bêbados; os chatos experimentaram um salto no poder de alcance inédito desde a invenção da roda.

Felizmente, enquanto o inimigo estava preso à parede, como um cão à coleira, ladrava mas não mordia. Bastava sair de casa e o cidadão tornava-se inatingível. Ah, as novas gerações não conhecem o Éden perdido! "Onde está fulano?", "Saiu", "Pra onde?", "Não sei" — e lá ia você com as mãos no bolso, assoviando, livre pra beber sua cerveja no bar, pra jogar boliche em Mongaguá ou fazer amor em Guadalupe.

Incapaz de nos seguir por aí, a máquina recrutou capangas: secretárias eletrônicas que esperavam o incauto cidadão a voltar de suas errâncias para, como bombas-relógio, explodir afazeres, cobranças e más notícias. Bipes que, como drones, podiam bombardear um dos nossos em qualquer canto do globo.

Mesmo com bombas e drones, no entanto, até uns vinte anos atrás ainda era possível escapar, não ouvir os recados, viver sem bipe. Então veio o golpe mortal, assustador como Daryl Hannah piruetando em direção ao Caçador de Androides, traiçoeiro como o dedo-espeto de mercúrio do Exterminador: o celular. O verdugo não estava mais apenas em nossos lares: morava no nosso corpo. Não só falava e ouvia, como fotografava, filmava, enviava cartas, bilhetes, contas, planilhas, demitia funcionários, terminava casamentos, passava clipes do Justin Bieber, sermões do Edir Macedo e oferecia promoções de operadoras às 8h11 da manhã de domingo.

Faz uns dois anos que o celular se tornou ubíquo. Pelas ruas e ônibus, pelas escolas e repartições, parques e praias, só se veem seres humanos curvados, de cabeça baixa, servis como cachorrinhos a babar sobre as telas de cristal líquido, para onde quer que se olhe — mas quem olha? Daí pro extermínio por inanição será um passo. Ou melhor, um clique.

O agudo e a crônica

Ontem, zapeando, dei com um documentário sobre Lacan, o lacônico psicanalista francês. Dizia o programa que o terapeuta não marcava hora para as consultas: se às três da manhã um paciente despertasse de sonhos intranquilos sentindo-se metamorfoseado num monstruoso inseto, poderia lhe telefonar, cruzar Paris de pantufas e aparecer para um rápido divã. Rápido é maneira de dizer, pois Lacan tampouco predeterminava a duração das sessões. O insone talvez ficasse escarafunchando suas caraminholas até que os róseos dedos da aurora viessem tamborilar sobre o negrume de seu inconsciente, ou talvez fosse mandado de volta pra casa cinco minutos depois de chegar, caso verbalizasse algo prenhe de significado, como, digamos: "Sonhei que estava na Carvalho Pinto, em cima de um obelisco, fumando um charuto bem glande... Eu disse glande?!".

Sei pouco sobre psicanálise, menos ainda a respeito de Lacan, mas esta ideia de que as angústias e aflições deveriam ser servidas quentes, não levadas para alguma geladeira da consciência e de lá tiradas somente às terças e quintas, 15h45, ou às quartas e sextas, às 16h30, já murchas ou decantadas pelo refrigério da razão, me remeteu a outro assunto que me é caro: a crônica. Num mundo ideal, o cronista funcionaria como o paciente de Lacan. Ficaria por aí, tocando sua vida, indo ao banco, almoçando no quilo, olhando vitrines atrás de um presente de Dia das Mães, até que surgisse uma ideia. Imediatamente, ele encontraria uma praça, se acomodaria num banco — se possível fosse, até alugaria um quartinho de hotel —, tiraria o laptop da mochila e escreveria seu texto, com todos os ingredientes colhidos na hora. Um romancista não precisa levar o laptop na mochila. Suas ideias podem amadurecer antes de ir pro papel. Ele está contando uma longa história, é bom que tenha algumas pistas de para onde está indo. Já o cronista, quanto mais cego ao iniciar seu passeio, maiores as chances de conhecer lugares novos no caminho.

Outro dia, num jantar, meu amigo Humberto Werneck me contou de um comentário de Manuel Bandeira a respeito de Rubem Braga: "Braga é sempre bom; quando não tem assunto, então, é ótimo". Claro, pois nesses textos em que o tema não está dado, é como se acompanhássemos o escritor de pantufas no meio da noite atravessando sua Paris interior, matutando sobre suas angústias, seus alumbramentos. É como se o víssemos deitar no divã, ouvíssemos seu relato, suas queixas, suas hipóteses, até que, num ato falho, numa gaguejada, numa repetição ou silêncio mais longo, o assunto se materializasse — não no papel, mas na cabeça do analista, isto é, do leitor.

É o caso, por exemplo, de um dos textos mais bonitos de Braga, um dos textos mais bonitos que eu já li: "Sizenando, a vida é triste". O que parece uma divagação à mesa da cozinha, umas voltas em torno de um radinho de pilha, revela-se um comentário arrasador sobre o amor e a solidão. Não é o caso, por exemplo, deste texto: às vezes, um charuto é apenas um charuto, uma crônica é apenas uma crônica — nem todo mundo pode ser Rubem Braga, nem todo mundo consegue ser tão glande. Eu disse glande?!

Coisas importantes

Eu tinha prometido ao meu editor entregar o livro na terça, sem falta, antes do jogo do Brasil, mas aqui estou, plena segunda-feira, um olho no laptop e o outro em Irã e Nigéria, que começam a jogar na TV muda, do outro lado da sala. Sei que não se trata do maior clássico do futebol mundial, mas a partida vai me puxando, me puxando e quando dou por mim já migrei completamente da tela do Word pra Arena da Baixada.

Numa situação normal eu me sentiria culpado, mas Copa não é, nem de longe, uma situação normal. Copa é uma espécie de salvo-conduto pra vagabundagem. Os almoços que durariam quarenta minutos levam cento e cinco (mais acréscimos), o cara com quem você teria uma reunião fica gripadíssimo justo na hora de Holanda × Espanha, os garçons passam um mês se escondendo atrás de colunas, de costas pros clientes e de frente pra televisão.

Acho justíssimo. Há algo mais escasso, neste século tão afeito à produtividade, do que boas desculpas pra não fazermos o que precisa ser feito? A gente gasta um tempo enorme escrevendo livros, projetando casas, calculando logaritmos, plantando caquis: cada um concentrado em seu imenso umbigo, crente que de sua pequena tarefa depende o futuro da humanidade. Depois morre e já era.

Li outro dia numa revista que os americanos inventaram um pozinho que, misturado à água, te supre de todos os nutrientes necessários, liberando o tempo antes "gasto" com as refeições pra ser "investido" no trabalho. Que século!

O jogo se arrasta sem gols. Torço ora pra um time, ora pro outro, até que, noventa minutos mais tarde, o juiz joga a pá de cal naquele zero a zero. A culpa bate à porta: segundona, eu deveria estar revisando vírgulas e trocando uns "contudo" por uns "no entanto" no meu livro e contudo (ou no entanto?), estou aqui vendo um jogo de futebol. Curiosamente, no entanto (ou contudo?), não fico culpado. Tenho uma epifania. Ouço uma voz sussurrando no meu ouvido. Será Deus? Não, é Nelson Rodrigues. O que ele me diz? Que o que realmente importa nessa vida é deixar de cumprir uma tarefa em plena segunda-feira pra ver Irã e Nigéria empatarem em zero a zero. Que não há nenhum poema, nenhuma tragédia grega, nenhuma obra de arte com A maiúsculo que traga outra mensagem senão esta: só os zero a zero são sinceros — o resto é ilusão e vaidade.

Logo mais tem Brasil e México. Legal. Talvez o Brasil seja campeão. Lindo. Mas a beleza da Copa não é ganhar nem ver a goleada da Holanda ou da Alemanha — isso ainda é estar preso às amarras do século. A beleza da Copa é gastar duas horas com um desolador Irã e Nigéria quando havia coisas muito mais (des) importantes a (não) fazer.

Geopolítica do coração

Existem duas Copas paralelas: aquela em que o Brasil joga — e você sofre, grita, esperneia — e aquela em que as outras seleções jogam — e você pode se dar ao luxo de assistir tranquilamente do seu sofá, encantado com as belezas e surpresas do esporte bretão. O único problema dessa segunda modalidade de fruição desportiva é que nem sempre é fácil escolher o time para o qual torcer.

Tendo sido criado por um torcedor fiel do Linense, com moderadas convicções de esquerda, cresci acreditando que uma das graças do futebol é ver o mais fraco vencer. Chile e Espanha, portanto, foi bico: colonizados contra colonizadores, atuais campeões do mundo contra um time que jamais ganhou uma Copa. Até fui a um restaurante chileno, comi empanadas, tomei pisco, gritei "Chi-chi-chi-le-le-le" e fiquei com os olhos marejados na hora do hino: "*Que o la tumba serás de los libres/ o el asilo contra la opresión*"!

Diante de Holanda e Austrália, porém, minha opção preferencial pelos fracos subiu no telhado. Como não querer ver a máquina que havia metido cinco na Espanha funcionando perfeitamente, de novo? Entre Robben e a retranca, ficaria com a retranca? Tive que me submeter a um rápido tour de force pra aceitar meus pendores alaranjados: a Holanda é um país liberal, os caras esconderam a Anne Frank dos nazistas durante anos, que coisa linda é *A noite estrelada* do Van Gogh. Ótimo: mas aos vinte e um minutos do primeiro tempo, quando um desconhecido Cahill, da Austrália, pegou na veia e mandou pro fundo da rede, abandonei imediatamente a laranja mecânica e abracei a esquadra amarela. Que Holanda, que nada! Eles liberam o consumo de maconha, mas não o plantio, incentivando o tráfico em outros países! Entregaram a Anne Frank pros nazistas! O Van Gogh morreu sem orelha e na miséria! *Go, Aussies!*

Se Holanda e Austrália foi complicado, o que dizer sobre Portugal e Estados Unidos? Em termos estritamente futebolísticos, os EUA eram o lado mais fraco — mas quando, no futebol, pode-se falar em termos estritamente futebolísticos? Antes do jogo, eu pensava: o ludopédio é o último reduto livre da supremacia norte-americana, não podemos perder nossa Gália e deixar que também aí eles sejam os melhores. Portugal é nosso irmão, nunca venceu uma Copa, fechemos com Fernando Pessoa e pastéis de Santa Clara. Mas então entrou o Cristiano Ronaldo com aquele ar de fuinha emperiquitada, vi os jogadores americanos nervosos e empolgados, lembrei do grunge Lalas em 1994, e, quando dei por mim, já estava de pé, diante da TV, gritando *Yes, we can!*

Hoje, em Honduras × Suíça e Equador × França, fecho com os latino-americanos, claro. Nigéria × Argentina também é fácil: sou Nigéria desde criancinha. Difícil vai ser saber o que fazer com Bósnia e Irã. Emir Kusturica ou Abbas Kiarostami? Os persas ou as loiras? E os genocídios? E os aiatolás? É possível ignorá-los? Realmente, não sei: numa Copa, é complexa a geopolítica do coração.

7 X 1

Gol da Alemanha. Gol da Alemanha. Gol da Alemanha. Gol da Alemanha. Gol da Alemanha. Gol da Alemanha. Gol da Alemanha. O rio Amazonas seca. Gol da Alemanha. Cupins devoram Ouro Preto. Gol da Alemanha. Olinda arde em chamas. Gol da Alemanha. O Cristo cai com um tufão. Gol da Alemanha. Gisele entra num convento. Gol da Alemanha. Prédios de Niemeyer desabam. Gol da Alemanha. (Nenhum político ferido.) Gol da Alemanha. Cyrela reconstrói capital. Gol da Alemanha. Em estilo neoclássico. Gol da Alemanha. Novo vírus se espalha. Gol da Alemanha. Com sintoma jamais visto. Gol da Alemanha. Flacidez e queda dos glúteos. Gol da Alemanha. Gil e Caetano descobrem-se. Gol da Alemanha. Gagos, roucos e fanhos. Gol da Alemanha. Chico Buarque grava. Gol da Alemanha. Um emo universitário. Gol da Alemanha. João Gilberto admite. Gol da Alemanha. Quem inventou a bossa nova. Gol da Alemanha. Foi o Henry Salvador. Gol da Alemanha. Historiador sentencia. Gol da Alemanha. Santos Dummont chegou tarde. Gol da Alemanha. Quem inventou o avião. Gol da Alemanha. Foram os irmãos Wright. Gol da Alemanha. Exumação comprova. Gol da Alemanha. Carmem Miranda era homem. Gol da Alemanha. Diário revela. Gol da Alemanha. Jece Valadão era gay. Gol da Alemanha. Jean Wyllys confessa. Gol da Alemanha. "Sempre fui hétero." Gol da Alemanha. Universidade de Stanford adverte. Gol da Alemanha. Feijão dá câncer e gota. Gol da Alemanha. Sambódromo é vendido. Gol da Alemanha. Pra uma igreja evangélica. Gol da Alemanha. O Municipal é reformado. Gol da Alemanha. Pra virar pet shop. Gol da Alemanha. Disney arrenda Lençóis. Gol da Alemanha. E constrói parque do Mickey. Gol da Alemanha. Chapada Diamantina é implodida. Gol da Alemanha. Pra gerar muita brita. Gol da Alemanha. E aterrar o Pantanal. Gol da Alemanha. Pra transformá-lo. Gol da Alemanha. No maior estacionamento do mundo. Gol da Alemanha. O mico-leão é extinto. Gol da Alemanha. Pela última arara-azul. Gol da Alemanha. O derradeiro boto-cor-de-rosa se mata. Gol da Alemanha. Engolindo a última arara. Gol da Alemanha. Autópsia do boto conclui. Gol da Alemanha. Que o rosa era tingimento. Gol da Alemanha. Índios assumem a culpa. Gol da Alemanha. A gente pintava os bichinhos. Gol da Alemanha. E quem pagava eram as Farc. Gol da Alemanha. As aves que aqui gorjeiam. Gol da Alemanha. Tão mudas ou se picaram. Gol da Alemanha. Pai. Gol da Alemanha. Que que tá acontecendo? Gol da Alemanha. Não sei. Gol da Alemanha. Mas preciso contar um negócio. Gol da Alemanha. Eu não sou seu pai. Gol da Alemanha. Seu pai é um uruguaio. Gol da Alemanha. Chamado Alcides Ghiggia. Gol da Alemanha. Acabou? Gol da Alemanha. Não. Gol da Alemanha. Ghiggia não é uruguaio. Gol da Alemanha. Ghiggia nasceu na Argentina. Gol da Alemanha. Nana Gouvêa. Gol da Alemanha. Com camisa do Flamengo. Gol da Alemanha. Que na verdade. Gol da Alemanha. É a camisa B da Alemanha. Gol da Alemanha. Faz selfie nos escombros. Gol da Alemanha. Gol da Alemanha. Gol da Alemanha. Gol da Alemanha. Gol da Alemanha. Gol da Alemanha. Gol da Alemanha. Gol do Oscar.

Íntimos desconhecidos

Finalmente, transpostos junho e julho, esses meses vagabundos em que a vida foi marcada, driblada e vencida pela Copa, consegui terminar de ler a biografia do Rubem Braga, que eu havia começado em maio. Ontem, às duas e tanto da manhã, com os olhos ardendo e um aperto no peito, virei a última página.

Ao apagar o abajur, pensei que a angústia fosse causada pela morte do "velho Braga", descrita de forma sóbria e delicada por Marco Antonio de Carvalho: descobrindo um câncer em estágio avançado, o cronista, que sempre viu mais beleza nas pescarias do que nas epopeias, optou por não se tratar; preparou a partida, distribuiu os livros e os quadros, se despediu dos amigos, deitou e não levantou mais.

Hoje, porém, acordei com a sensação de que não era exatamente a morte do escritor a parte mal digerida da biografia. A azia existencial me perseguiu ao longo do dia e só no meio da tarde, quando terminei um e-mail com uma exclamação (o que pode ser menos bragueano do que uma exclamação?), entendi o que me incomodava — algo que eu já vislumbrava desde que passei a conviver mais de perto com os humores, afetos e idiossincrasias do meu íntimo desconhecido: o Rubem Braga não ia gostar de mim.

É duro constatar um negócio desses depois de duas décadas de convívio intenso. É como descobrir que a sua mulher está te traindo. Não, é pior: a mulher que trai o marido pode amá-lo — ou, pelo menos, pode já tê-lo amado um dia. Rubem Braga nunca me amaria. Ele era quieto, eu, falastrão. Ele não sorria pra todo mundo, eu pareço um candidato a vereador. Ele era um velho lobo do mar, eu cresci patinando no gelo, no shopping Morumbi.

Nesses vinte anos de relação, já me imaginei várias vezes voltando ao passado e sendo apresentado ao cronista por um amigo em comum. Já me projetei na famosa cobertura da Barão da Torre, em Ipanema, batendo papo no jardim. Não me vejo falando sobre passarinhos ou ventos alísios — nasci em São Paulo, cresci em São Paulo, minha relação mais próxima com a natureza foram dois gatos e uma tartaruga de aquário —, mas quem sabe conversássemos sobre a infância, que é sempre interiorana, e descobríssemos insuspeitos paralelos entre o Itaim Bibi e Cachoeiro de Itapemirim? Eu lhe mostraria um ou outro texto, ele me ofereceria uma cachaça, comeríamos jabuticabas.

Todas essas fantasias desapareceram agora que li o livro. Não sou o tipo de pessoa com quem Braga se daria bem. Eu me vejo saindo de sua cobertura e o ouço comentar com nosso amigo que me achou frívolo, meio bobo talvez. Pede — seco, mas não rude — que não me leve mais ali.

Saímos andando por Ipanema, eu e esse amigo sem rosto que me consola. Para minha sorte, esse amigo é muito bem relacionado e avista, no fundo de um bar, uma mesa improvável, mas não impossível: João Ubaldo Ribeiro e Ariano Suassuna. Nos sentamos. Os dois falam pelos cotovelos e riem muito, como

154

eu. Em meia hora, somos amigos de infância. Eles me acham o máximo, me convidam pra uma moqueca em Itaparica, um vatapá no Recife e uma saideira no Antonio's, onde nos aguardam Millôr Fernandes e Vinicius de Moraes. Saio trôpego pela calçada, às duas e tanto da manhã, com os olhos ardendo e o peito transbordante.

Estiagem

Ontem, por uma dessas coincidências que não guardam nenhum sentido oculto, mas adicionam à vida uma pitada de mistério, peguei pra ler *Ai de ti, Copacabana* e, horas depois, a caminho de uma reunião, passei em frente à nossa escola. Você ficaria triste ao saber que aquele casarão e o pátio em que me deu o livro do Rubem Braga — o maior presente que já ganhei — agora jazem sob os dezenove andares de um equívoco neoclássico chamado Beverly Hills Plaza, com quatro vagas e oito colunas jônicas por andar — prova de que, mesmo quinze séculos após a invasão dos Vândalos, segue em marcha o declínio do Império Romano.

Fiquei parado ali na calçada, olhando pra cima, pensando que nada poderia estar mais distante das pitangueiras e sabiás do Rubem Braga do que aquelas varandas raquíticas com seus pinheirinhos em formação militar — pobres árvores de clima temperado, vítimas do destempero paulistano em sua luta pra anular os trópicos. Lembrei dos recreios ensolarados do colegial, quando nos sentávamos no chão pra jogar truco. Se num daqueles

156

recreios eu tivesse tentado te beijar, talvez minha adolescência houvesse sido ensolarada também, mas eu era tímido e a libido só encontrava vazão no grito desastrado: "Truco, marreco!".

Usei solar como sinônimo de feliz e me arrependo: ultimamente, o governo do Astro Rei tem sido bem despótico. As reservas de água da cidade estão abaixo dos 20% e este verão abafado parece a ambientação perfeita para uma desgraça num conto vagabundo, desses em que chove quando o protagonista sofre de amor. De amor eu não sofro, mas trago o peito apertado. Nosso país está estranho, minha amiga. Coisas horrendas andam acontecendo e, em vez de as pessoas pensarem em como impedir que coisas horrendas aconteçam de novo, querem é infligir coisas horrendas a quem as infligiu. No fundo, o que exigem não é justiça, nem mesmo vingança, mas o direito ao seu quinhãozinho de barbárie, como crianças que reclamam: "Por que ele pode brincar na gangorra e eu não?"; "Por que ele pode brincar de Gomorra e eu não?". Mais dia, menos dia, vou abrir o jornal e ver alguém defendendo o linchamento como uma forma de democracia direta.

Acho que você ia se sentir bem deslocada por aqui. Na atual estiagem, só o cinismo cresce, como os cactos. Faz sentido: a esperança não tem lugar nessa época que preza tanto a eficiência. A esperança é deficitária. Não é verdade que seja a última a morrer: morre todo dia, toda hora, em toda parte (pra renascer, depois, noutro lugar, feito o amor de Paulo Mendes Campos). Já o cinismo é investimento seguro. Como pode se frustrar quem não deseja? O cínico está em paz — como os mortos.

Acho que por isso tudo, ontem, recorri ao Rubem Braga. Tenho-o sempre à mão, pra emergências (quando minhas reservas de esperança descem abaixo dos 20%): vive ora na sala, ora na cabeceira da cama, ora na mesa da varanda, que é onde ele se sente mais à vontade, desfolhando-se ao vento. Pensando bem, talvez não seja o vento que desfolhe o livro, mas as páginas é que tentam, ingenuamente, abanar o mundo. Ai de nós, Rubem Braga. Ai de nós, Beatriz. Vocês fazem mais falta do que a água neste escabroso verão.

Charutos e chupetas

Numa moldura que já foi dourada, no fundo da sala do meu pai, fica a foto mais antiga da família. São trinta e cinco pessoas, metade de pé, metade sentada em cadeiras, num quintal em Uberaba. Num canto, embaixo, ao lado da assinatura do fotógrafo, em caneta-tinteiro, o ano: 1927.

Meu bisavô tem vinte e um anos, minha bisavó, dezenove, meu avô é um bebê de colo, mas todos parecem velhos: até meu avô, o bebê, olha pra câmera com aquela austeridade das criancinhas de antigamente, tão sério que é possível imaginá-lo levando à boca, depois do clique, não uma chupeta, mas um charuto. (Já se usava chupetas em 1927?)

Sempre que visito meu pai, paro diante da foto e acabo meio triste, com pena dos nossos "mortos de sobrecasaca". Sei que é tolice achar que todos eram infelizes em 1927, como se no passado as pessoas existissem em preto e branco, os homens fossem condenados ao tabelionato ou à tuberculose, as mulheres à fofoca ou à histeria e a gargalhada só tivesse vindo ao mundo com os *babyboomers*.

Lembro então do Pixinguinha, do Louis Armstrong, do Oswald de Andrade, dos vermelhos, azuis e amarelos do Miró — dos amarelos, principalmente — e escapo da armadilha do anacronismo. (Talvez, bom mesmo fosse em 1927.)

Semana passada, meu tio Augusto fez sessenta anos e deu um almoço pra família. No fim da tarde, nos juntamos no quintal e tiramos uma foto. Ontem, passei um bom tempo diante da imagem, recebida por e-mail: ao todo somos quarenta e seis pessoas e não há uma única que não esteja sorrindo.

Não é nos lábios, porém, que mais antagonizamos com nossos antepassados p&b, é nas mãos. Na foto de 27 elas estão quase todas escondidas: uns as metem nos bolsos, uns as colocam às costas, outros cruzam os braços e as enfiam nos sovacos; as poucas à mostra pousam comportadas no colo de distintas senhoras e senhoritas, como cães muito bem adestrados aos pés de seus amos.

Na foto da semana passada, as mãos não são cães adestrados, são pássaros se debatendo numa gaiola: *hang looses*, Vs da vitória, joias, trejeitos de rappers — um tio de cinquenta e quatro anos, com os indicadores e polegares convertidos em pistolas, finge atirar no fotógrafo, como um caubói.

O exagero das poses me remeteu diretamente à sauna de *8 e 1/2*, do Fellini, onde Guido/Mastroianni se queixa a um cardeal: "Eminência, eu não sou feliz". O pontífice, meio indignado, responde: "Quem disse que você veio ao mundo pra ser feliz?".

Na gravidade da foto de 1927 vejo a indignação do cardeal. A felicidade é frívola: os lábios cerrados recusam os prazeres terrenos e as mãos, que servem para agarrá-los, se cobrem de pudor. Já na foto da semana passada vejo o desespero de Guido/Mastroianni e é como se lutássemos contra a infelicidade mandando à lente do iPhone os nossos sorrisos forçados, nossos gestos de surfistas, rappers, caubóis e candidatos recém-eleitos — tão desamparados que é até possível nos imaginar levando à boca, depois do clique e do almoço, em vez de charutos, chupetas.

Embarque

"Rodrigo?!", soltou a mulher, uns cinco metros adiante, olhando pra mim. Confuso, parei de empurrar o carrinho de bagagem, olhei pra trás, olhei em volta, mas, antes que eu terminasse a busca, ela insistiu: "Rodrigo!" — agora já não mais uma pergunta, e sim uma afirmação. Um vento frio soprou no meu estômago: senti como se tivesse cruzado uma aduana invisível que separa o embarque de Congonhas de um livro do Kafka.

Há, sem dúvida, aspectos meus que desconheço; há, talvez, rincões de minh'alma que nem com cinco décadas de análise conseguirei acessar, mas, depois de trinta e sete anos sobre a Terra, algo posso afirmar sobre mim, sem titubear: eu não me chamo Rodrigo. A mulher, porém, não pensava assim — e, a julgar pela voz trêmula, pela boca cerrada e pela sobrancelha franzida, isso não era muito promissor.

Ela aparentava uns quarenta, cinquenta anos, tinha um cabelo preto, farto e olhos espantados, circundados por rugas profundas — vincos que, suspeitei, não deviam ser totalmente desvinculados do tal Rodrigo. Havia dor e susto ali, mas havia afeto também. Pensei menos num estelionatário que estivesse dando um golpe na venda de um carro do que num namoro de fim catastrófico.

Quem sabe o Rodrigo tinha prometido casar, ter filhos, passarem a aposentadoria juntos num sítio e, um belo dia, escafedeu-se? Agora, numa terça de manhã, assim, do nada, ela o encontra — ou acha que o encontra — na sala de embarque do aeroporto. Dava mesmo pra entender o choque — caso eu fosse o Rodrigo.

Como eu não era — e continuo não sendo —, resolvi desfazer a confusão e fui caminhando em direção à mulher. Quem sabe eu nem precisasse falar nada? Quem sabe bastaria ela me ver de perto pra sorrir, envergonhada, "Nossa, achei que...", "Tranquilo, acontece". Eu seguiria andando, atravessaria o corredor que separa o Franz Kafka do Franz Café, compraria um pão de queijo e leria o meu jornal. A um metro da mulher, no entanto: "Rodrigo...".

Se o primeiro "Rodrigo?!" foi um "Meu Deus, é você?!" — e me deixou confuso —, se o segundo "Rodrigo!" foi um "Sim, é você!" — e me deixou com medo —, o terceiro "Rodrigo..." tava mais pra um "Você, hein?" — que me encheu de culpa. O Rodrigo sem dúvida havia pisado na bola grandão com aquela mulher, a havia feito sofrer, chorar, espernear e esperar noites a fio: agora estava ali — ou, pelo menos, era o que ela pensava — pra receber o troco.

Fui chegando perto, já pegando o RG para o caso de precisar desfazer, oficialmente, o mal-entendido, mas nem consegui sacar o documento: num salto, ela veio pra cima de mim. Esperei unhadas, mordidas, uma facada talvez. Em vez disso, me deu um abraço e começou a chorar: "Rodrigo! Ah, Rodrigo!". Fiquei ali por um tempo, imóvel e perplexo, sentindo o cheiro, o calor e os tremeliques daquela estranha. Então ela se afastou, olhou pro chão, olhou pra mim e disse, baixinho: "Rodrigo, você me perdoa?".

Olhei no fundo dos olhos dela e acabei, finalmente, com aquele absurdo: "Perdoo". Aos poucos, os soluços foram diminuindo, ela enxugou as lágrimas, disse "Brigada" e, atendendo à última chamada pro embarque do voo 1047, pra Maringá, sumiu pelo portão 13.

Meia abdominal

Deito no banco de pedra, dobro as pernas, apoio os pés, entrelaço as mãos atrás da cabeça, vou erguendo o tronco devagar até que, no meio da abdominal, dou com o céu, lá no alto. É um desses céus de inverno no campo: limpo, azul, uma ou outra nuvem indo sem muita pressa sabe-se lá pra onde, como as vacas aqui embaixo, no pasto.

É bonito, mas nem de longe é o céu mais espetacular que eu já vi. Lembro do sol se pondo no mar de Itaúnas, na adolescência. (A bola vermelha tingindo o Atlântico e eu me remoendo na areia: Beijo? Não beijo? Beijo? Não beijei, pra variar — terminei a noite bêbado, jogando sinuca, enquanto a Beatriz se atracava com o rasta do violão.)

Lembro de um azul quase escuro de tão claro, sem uma única caspinha branca, emoldurando as laranjeiras, depois o castelo e por fim um pico nevado, nos jardins da Alhambra, em Granada. ("Dê-lhe esmola, mulher/ Que não há nesta vida nada/ Como a pena de ser cego em Granada", escreveu um poeta, em outro século, naquele mesmo jardim.)

Certas tardes paulistanas, até, com seu horizonte de poluição pós-apocalíptico (se fosse uma cor de esmalte, seria "Abóbora Gotham City"), são mais impactantes do que o céu que encontro no meio da abdominal, mas é o céu, ainda assim, em toda a sua imponência: o mesmo céu que os gauleses temiam que caísse sobre suas cabeças e para o qual bilhões de homens e mulheres erguem as mãos, todos os dias.

Eu, que nasci num mundo sem Deus e, contudo, repleto de pecados — grelhados, assados, refogados, gratinados, flambados, condensados, fermentados, destilados —, não ergo as mãos, mas o tronco, em busca da redenção corpórea, nessa manhã fria de julho. Ergo e logo desergo (se é que existe tal verbo): as costas tocam a pedra, a cabeça já lá nas nuvens.

Quando eu era pequeno, em férias como essas, na fazenda, gostava de deitar na grama à noite e olhar o céu estrelado até ter a impressão de que não era ele quem estava em cima e eu, embaixo, mas o contrário: com um frio na barriga, me sentia desabando no vazio.

Deitado no banco, agora, olho o céu por um tempo e me volta a impressão. A vertigem é maior hoje, pois sei que não se trata de uma impressão: estamos mesmo desabando no vazio. ("Assim será nossa vida:/ Uma tarde sempre a esquecer/ Uma estrela a se apagar na treva/ Um caminho entre dois túmulos.")

Ah, mas não irei sem luta, poeta! Farei o que puder pra estender o caminho, por isso o ridículo shortinho de *dry fit*, esses hediondos tênis multicolores, essa quixotesca abdominal no meio das férias.

Como eu disse, não é o céu mais bonito que já vi, mas deitado no banco, é só céu o que eu enxergo: nenhuma copa de árvore, nenhum cume de morro, nenhum fio de telefone, céu, céu, céu e não consigo pensar em mais nada. Quase posso me ver, lá do alto, minúsculo. "Gabriel, que que é aquilo, levantando e abai-

xando ali pros lados de Piracaia? É um muçulmano?" "Não, Senhor. Tá de barriga pra cima. Tem mais pinta é de abdominal."
"Ah, coitado." "Coitado."

Saída para o mar

Já passa da uma, minha mulher dorme ao meu lado, e, como em tantas outras noites, faço um carinho em seu ombro enquanto vejo televisão. Hoje, porém, meu carinho sai atravessado: estou apaixonado por outra; Svetlana Samanova, tenista bielorrussa a que, há vinte minutos, assisto jogar contra uma húngara, ao vivo, no Aberto da Austrália.

Não foi amor à primeira vista. Quando parei no canal, por acaso, procurando algum VT de futebol, ela estava prestes a sacar. Tensa, dava pulinhos, levemente desengonçada, com suas pernas compridas — lembrava uma gringa tentando sambar. Era bonita, claro, trazia todos aqueles atributos que a simples menção à palavra "bielorrussa" evoca do lado de baixo do Equador, mas não era perfeita, tipo a Sharapova, uma playmate/espiã da KGB em filme do James Bond. Eu conseguia até imaginá-la na escola, de aparelho nos dentes, se achando feia entre bielorrussas bem mais bielorrussas do que ela.

Torci, de leve. Ela sacou. Fez o ponto. Comemorou discretamente em sua quadra, na Austrália, comemorei discretamente na minha cama, em Cotia. Três games depois ela estava prestes a acabar com a húngara e a arrebatar meu coração.

A República da Bielorrússia não tem saída pro mar. Sua capital é Minsk. Os setores econômicos que mais se destacam são a agricultura e a indústria manufatureira. É o que eu leio na Wikipedia, protegendo a tela do celular com a mão, como se trocasse mensagens com uma amante. Olho pro lado. Olho pra TV. Estou dividido entre a realidade desta mulher que dorme, em Cotia, e o delírio de Svetlana Samanova, que geme e sua, do outro lado do mundo.

Não, eu não trocaria meu mundo por Svetlana. Amo minha mulher, minha filha. Mas, e se houvesse, sei lá, uma passagem secreta no armário de toalhas, digamos, ligando o meu corredor a um bosque nos arredores de Minsk? (40% da Bielorrússia é coberta por florestas, diz a Wikipedia.) Eu me sentaria sobre a relva (imagino que deva haver muita relva na Bielorrússia), sob a sombra de um carvalho (idem), e veria Svetlana Samanova surgir de trás de um arbusto. Seria bater os olhos em mim para ela se apaixonar, óbvio. Eu faria alguma pergunta idiota, tentando quebrar o gelo, "Sua família se dedica à agricultura ou à indústria manufatureira?", mas ela calaria minha boca e meu nervosismo com seus doces lábios eslavos.

Depois de nossos smashes, aces, slices e topspins sobre a relva, ainda arfante, ela faria a proposta: "Vem comigo? Vamos viver pulando de país em país, tomando Bellinis em hotéis de luxo e sol em iates enormes, num Grand Slam amoroso!". Eu agradeceria e, com a entonação mais Bogart-em-Casablanca que conseguisse encontrar, recusaria o convite. "Isso tudo é uma ilusão, Svetlana. Do lado de lá desse carvalho há um armário de toalhas e, para além das toalhas, dorme minha mulher. Você é incrível, tivemos uma bela aventura, mas é preciso parar por aqui. Espero que chegue ao #1 da WTA e que um dia encontre um homem capaz de te dar o que você merece."

Então eu beijaria sua testa, voltaria pra minha casa, deitaria na minha cama e deixaria o sono me levar definitivamente pra longe de Svetlana Samanova e da relva bielorrussa — a TV, muda, transmitindo um VT de Udinese × Fiorentina.

2001: Uma odisseia no espaço

Com a minha filha no colo, sentado no chão da sala, leio um livro. "Leio" é maneira de dizer: ela vira as páginas aleatoriamente, vai pousando o indicador nas figuras e eu fico falando "bola", "avô", "au-au", "pantufa", "astronauta", "isso eu não sei o que é, filhota, parece uma nuvem, mas talvez seja um ovo frito".

Enquanto "lemos", bebo uma água direto da garrafinha e, já acostumado aos pequenos atos de vandalismo a que uma criança de um ano se dedica — basicamente, arremessar ao chão todo e qualquer objeto que consiga agarrar, com o intuito estritamente científico de analisar as consequências físicas e psicossociais do impacto com o solo —, atarraxo a tampa vermelha na garrafa depois de cada gole.

Não demora pra que ela se canse da "bola", do "avô", do "au-au", da "pantufa", do "astronauta" — e do que, desconfio agora, seja uma ovelha voadora — para se vidrar na tampinha. Que coisa incrível, diz seu olhar, uma hora isso tá na garrafa, outra hora na sua mão, como gruda, como desgruda, posso tentar? Termino a água num gole e vou tampá-la, mas minha filha é mais rápida: arranca a garrafa da minha mão direita, a tampa da esquerda e engatinha até o meio da sala. Ela olha a tampa, olha a garrafa e olha pra mim, com o mesmo entusiasmo que me arrebataria numa final de Copa: vai começar o grande desafio da tampa de rosca. Ela segura a garrafa na diagonal e tenta encaixar a tampa. A tampa cai: uma, duas, três vezes. Na quarta, ela percebe que há algo errado. Suspira. Coloca a tampa de lado e, com as duas mãos, tenta deixar a garrafa de pé, no chão. Não é fácil. A gravidade é sua inimiga. (Talvez a maior de todas — empatada com a escuridão, à frente do espinafre.) Cada vez que a garrafa tomba, ela dá um gritinho de ódio, mas não desiste. Até que, lá pela décima quinta tentativa, ela consegue. A garrafa está ali, parada no meio do tapete de sisal como o monolito no deserto em 2001: *Uma odisseia no espaço*. Ela me olha. Sabe que o jogo não está ganho, que o mais perigoso vem a seguir, mas não demonstra temor.

Ela pega a tampinha ao seu lado, vai levando em direção à garrafa — e tudo, a partir daí, é em câmera lenta. Em algum lugar, toca "Assim falou Zaratustra". A tampa roça a boca da garrafa. A garrafa balança, mas não cai. Dum-dum-dum-dum-dum-dum, reverberam os tímpanos. Ela levanta um pouco a tampa. Tenta de novo. Olha pra mim. Tchanaaaam, explodem os metais. Não sei que cara fazer. Não quero pressioná-la para o sucesso nem, com a minha ansiedade, condená-la ao fracasso. (Sutis são os dilemas da paternidade.) Finalmente, ela solta a tampa. A tampa fica em cima da garrafa. Meio tortinha, não rosqueada, mas fica. Tchanaaaaam. Ela bate palmas e ri. Eu aplaudo de volta a pequena gênia, futura arquiteta, cientista, medalha Fields de matemática, ouro nas barras paralelas, "olha só o que você conseguiu!", digo, com os olhos marejados. Penso em guardar a garrafa, em banhá-la em cobre, colocá-la no alto da estante, mas minha filha tem outros planos: com um tapão, lança longe garrafa e tampa, engatinha pra perto de mim e fica batendo o dedinho no livro aberto sobre o tapete; "bola", "avô", "au-au", "pantufa", "astronauta", "ovo? Ou será uma ovelha, filhota?".

Meu reino por uma pamonha

Todo dia, às 6h45 da manhã, eu subia a Teodoro a caminho da escola e do fundo do ônibus via, espremido entre um boteco e uma loja de colchões, o letreiro triunfal: "Reino das Persianas". Janelas, se não me engano, não foram a maior contribuição arquitetônica da Idade Média — talvez porque os aquecedores ainda demorassem alguns séculos pra serem inventados, talvez porque o sujeito que, numa tarde ensolarada do medievo, quisesse ouvir o gorjear dos pintassilgos e se debruçasse sobre um batente corria o risco de acabar com lepra, peste negra ou uma machadinha encravada na testa —, mas no "Reino das Persianas", imaginava eu, dormitando no Lapa C, a coisa seria diferente. Os castelos teriam janelas de todos os formatos e tamanhos e delas penderiam as mais incríveis persianas: de aço reluzente, como armaduras, de marfim e esmeraldas, dadas por reis zulus, de seda pura, trazidas do Oriente no lombo de camelos, elefantes e escravos. Enquanto a Europa mergulhava na Idade das Trevas, o reino da Teodoro seria banhado por delicadas réstias de luz. Passei muitos anos acreditando que a tal monarquia veneziana fosse o ápice da fantasia, um universo paralelo que nenhum Tolkien, nenhuma J. K. Rowling ou *Game of Thrones* conseguiria superar, até o dia em que, perdido pelo Ipiranga, dei de cara com o "Império dos Azulejos" — um frio de porcelanato percorreu minha espinha. Vi exércitos marchando mundo afora, conquistando, masseando e azulejando, indiscriminadamente. Azulejariam estradas, florestas, praias, lagos e mares, azulejariam até, em praça pública, durante terríveis rituais de suplício, traidores e inimigos. (Aos prantos, os infelizes implorariam por clemência, mas as lágrimas só fariam excitar a turba que, em êxtase, os cobriria com saraivadas de argamassa.)

Alta madrugada, em seu leito de ladrilhos dourados, o imperador sonharia com o futuro: a Terra enfim transformada numa imensa área de serviço, refletindo a luz do sol como um globo de espelhos pendurado na ponta da Via Láctea.

Depois daquele delírio loução, temi pelo que viria a seguir: um Esquadrão das Esquadrias? Uma Babilônia dos Corrimões? Um Tutancâmon das Dobradiças? Preparado que estava para o excesso, quase passei batido pela padaria: "Recanto dos Pães".

Num primeiro momento, fiquei contente. Aquelas broas, baguetes e bisnagas não sofriam de megalomania, não queriam empanar súditos nem soterrar colônias com sua farinha: precisavam só de um canto, ou melhor, de um "recanto" pra descansar as atribuladas leveduras.

Aos poucos, porém, a imagem daqueles pães cansados foi me trazendo certo desconforto — lembrei de um tigre magro e sujo que vi um dia, dormindo à sombra de uma mureta, num zoológico do interior. Pães não repousam. Não se recolhem. Um pão em seu "recanto" é um pão murcho e triste, um pão que perdeu o seu propósito de morrer belo e jovem em prol da humanidade, como um mártir, um espermatozoide ou um melão.

Passei umas semanas aflito. Teríamos que optar entre a sanha conquistadora e o pão amanhecido? Seria a dicotomia entre o sangue e o bolor um retrato da desmedida de nossos tempos? Fui salvo da melancolia no km 27 da rodovia Raposo Tavares — lado direito, sentido SP: "Rancho da Pamonha". Nem "Confederação do Milho" nem "Asilo das Espigas". Rancho. Pamonha. E ponto.

Desmantelo só quer começo

Onze controles remotos, eis o surpreendente saldo da minha faxina: onze controles remotos que há muito já não controlavam, mesmo que remotamente, coisa alguma.

Ao longo dos anos, as TVs, aparelhos de som, DVDs e videocassetes a que serviram foram partindo e deixando-os para trás: órfãos, sem ocupação ou residência fixa, vagavam pela casa ao sabor do acaso; erravam pelos planaltos das cômodas e acampavam nas cordilheiras dos sofás como paraquedistas caídos no deserto; escondiam-se em gavetas e estantes como aqueles soldados japoneses que, décadas após o fim da guerra, seguiam enfronhados na mata, temendo o inimigo. Pois o inimigo era eu: terminada a captura, meti o desconjuntado exército de Brancaleone numa sacolinha plástica e o sepultei no fundo da lixeira.

Imagino que jogar controles remotos no lixo fira gravemente alguma Convenção de Genebra ecológica — não era a intenção avolumar aterros sanitários nem poluir lençóis freáticos com o chorume das minhas teclas SAP —, mas a visão daqueles defuntos eletrônicos me trouxe um sentimento de urgência: eram eles ou eu.

176

Meu finado tio-avô, Otávio, costumava dizer que "Desmantelo só quer começo": a pá emperrada de uma batedeira pode precipitar a decadência de um império. Meu tio-avô sabia do que estava falando, ele construiu um império — minas de estanho, manganês — e em sua casa uma batedeira manca não sobrevivia dez minutos.

O cronista Humberto Werneck, também atento à grandeza que o miúdo esconde, escreveu uma vez sobre a insidiosa contribuição dos copos de requeijão para o fim de um casamento. Aos poucos, esses intrusos vão cavando espaço no armário da cozinha, empurrando lá pro fundo as taças que, no início do namoro, assistiam da primeira fila aos beijos e abraços — é a vulgaridade galgando o terreno da paixão. Até que um belo dia você acorda e descobre que o vinho do amor virou água da bica num copo da Itambé.

Tenho medo: numa casa em que onze finados controles remotos permanecem insepultos por anos a fio, o desmantelo já começou faz tempo, já criou raízes, frutos, lançou esporos. Minha cozinha é cheia de copos de requeijão. Minha gaveta de cuecas é um sítio arqueológico: poderia escrever uma autobiografia do fim da adolescência até hoje, cada peça representando uma fase da vida. Perder o araminho do pão é uma das duas atividades a que me dedico com mais afinco — a segunda é fechar o saco com aquele nó troncho, lamentando: por que eu sempre perco os araminhos? Por que eu sou assim? Não será possível mudar, me organizar, tomar as rédeas da vida?

Claro que é — digo a mim mesmo, enquanto vejo o caminhão de lixo deglutir os expurgos da minha faxina. Este é o início de uma nova fase. A partir de agora serei apolíneo, japoneses e alemães virão fazer comigo estágios sobre organização.

Entro em casa de queixo erguido, peito estufado, e meu ânimo de gladiador existencial chega até o meio da sala: até ver minha mulher com as mãos enfiadas entre as almofadas do sofá, perguntando se por acaso eu não vi, em algum lugar, o controle da televisão.

Mexeriqueira em flor

Olivia vem correndo, para na minha frente, mostra a semente de mexerica e faz a pergunta favorita de seus dois anos e meio de vida: "Papai, o que é isso?". Quase sem tirar os olhos do jornal — com essa displicência da qual vou me arrepender muito quando ela for grande e já tiver suas próprias respostas —, digo: "É uma semente".

Olivia, porém, continua ali, ansiosa, olhando pra semente, olhando pra mim. Óbvio, "semente" não significa nada e ela quer, ou melhor, precisa saber que diabo de bolinha é aquela que estava dentro da fruta. Abaixo o iPad, explico que se a gente puser aquela semente num vaso nasce uma planta e a planta vira uma árvore e a árvore dá um monte de mexerica. Como um céu nublado se abrindo ao sol em efeito *time-lapse*, a curiosidade dá lugar ao deslumbre. "Papai, vamos plantar a semente?! Vamos plantar a semente?! Vamos plantar a semente?!" Vamos plantar a semente.

Saímos pro jardim, enfiamos a semente num pequeno vaso amarelo, onde jazem os restos semimumificados de uma violeta

— e só me dou conta da encrenca em que me meti quando, de volta ao sofá, vejo minha filha acocorada, imóvel, lá fora. "Olivia, que que cê tá fazendo aí?" "Esperando a árvore."

Explico que não é assim. Que demora. Que a gente tem que regar e aguardar uns dias, mas a minha suposta calma esconde uma ponta de pânico: e se essa semente não brotar? Será, sem dúvida, a maior frustração daqueles trinta meses de vida. Ao deitar a cabeça no travesseiro, relembro minhas palavras com um eco bíblico: "Se a gente puser a semente num vaso... aso... aso... Nasce uma árvore... ore... ore...".

São dias de angústia na alameda dos Araçás. A cada manhã, Olivia me faz ir direto do berço ao jardim. Voltando da escola, a primeira parada é o vaso amarelo. Regamos juntos. Olhamos a terra de perto, por minutos a fio. Ela metralha perguntas: que tamanho terá a árvore? Vai poder comer mexerica antes do almoço? Vai poder levar mexerica pra escola? Respondo a tudo sem olhá-la no olho.

Na terceira noite de tribulação, proponho à minha mulher um esquema fraudulento. Compramos uma muda. Plantamos na madrugada. Ou arrumamos logo uma mexeriqueira em flor, cheia de frutas, já com balanço e casa na árvore. A Julia só me faz uma pergunta: "Caso a semente não germine, será que é a Olivia quem não vai aguentar a frustração?".

Brigo com a Julia, critico sua psicanálise de botequim e viro pro lado ciente de que ela tem toda razão. Percebo que, desde o apito inicial de Brasil e Alemanha, não acalento nenhuma esperança. De lá pra cá, foi tudo 7 × 1. Sete a um na política. Sete a um na economia. Onde não tem lama, é deserto: uma aridez total. E, de uma hora pra outra, essa semente que vai virar planta que vai virar árvore que vai dar um monte de mexerica. Ou não vai?

Na quarta manhã, nem tenho coragem de ir lá fora. Abro a porta e deixo a Olivia sair correndo. Engulo em seco. Então, ouço seus gritos de euforia. Vou apressado até o vaso amarelo: ao lado dos despojos da violeta nasceu, tímida e espalhafatosa, uma maria-sem-vergonha. "Papai! Você plantou uma flor! Você plantou uma flor! Você plantou uma flor!" Olivia abraça a minha perna, dá uns pulos pela grama, depois segue pra sala, com passos decididos, para cuidar de outros assuntos.

O guarda-chuva

Dentre os inúmeros objetos que pertencem ao reino da comédia — como o funil, a tuba, a gravata-borboleta e o saca-rolhas —, tenho um apreço especial pelo guarda-chuva, esse fiel e destrambelhado companheiro.

Eu disse fiel e algum leitor, lembrando-se de todos os guarda-chuvas que ficaram no chão de táxis, na porta de restaurantes, na casa de amigos, pode discordar. Não os acuse injustamente, meu caro: a culpa por essas perdas não foi deles, mas da sua distração. Bics e isqueiros, sim, fogem da gente. São seres poucos confiáveis, vagabundos, beatniks que mal entram num bolso e já querem pular pro próximo, ansiosos por tocar novos dedos, escrever outros textos, provar diferentes cigarros. Uma Bic ou um isqueiro perdidos estão livres: um guarda-chuva abandonado é órfão. (Talvez por isso, aliás, já venha ao mundo de luto.)

Se fosse apenas fiel e triste, porém, como um velho mordomo num romance do século XIX, eu não teria nenhum apreço pelo guarda-chuva. O que me encanta na improvável traquitana é que por baixo do solene black tie encontra-se, como eu dizia lá no começo, um humorista.

Você está andando pela avenida Paulista num dia de chuva. Observa, deslizando pela calçada, a cordilheira de abóbadas negras. Um desses comediantes, então, aproveitando uma rajada de vento, joga o fraque pra cima, pelo simples prazer de exibir suas anáguas de metal, como uma dançarina de cancã. Um chacoalhão do dono e o pândego volta ao normal, fingindo que nada aconteceu, com a ironia britânica que lhe é peculiar. Lorde inglês, dançarina de cancã, percebe? Poucos objetos são mais contraditórios. Visto por cima, vestido balonê; por baixo, revolução industrial. Armado, miniparaquedas; fechado, banana-passa.

Sempre que, em qualquer canto do globo, um guarda-chuva é aberto, põe-se em movimento o eterno cara ou coroa entre a Ordem e o Caos. Por centenas de vezes, o anel desliza perfeitamente pela haste, as varetas se erguem, a lona estica: Apolo venceu. Um dia, contudo, um dia em que este caprichoso filho de morcego com bicicleta acordou com a pá virada, cada ossinho de metal resolve se mover prum lado; onde deveria desabrochar o hirto semicírculo surgem mil cotovelos, em vez da perfeição esférica temos um Bicho da Lygia Clark — e é assim, com uma gargalhada de Dionísio, que morre um guarda-chuva.

Morre, mas só individualmente. Coletivamente, apesar do seu óbvio anacronismo (é primo do 14 Bis, irmão da máquina de escrever, namorou uma *suffragette*), resiste, apesar das tentativas de superá-lo. Não são poucas: nos Estados Unidos, segundo uma matéria da revista *New Yorker*, há mais de três mil patentes de novas formas de guarda-chuva e a cada mês chegam tantos outros pedidos ao órgão que regulamenta o registro de invenções que há quatro funcionários só pra cuidar dessa área.

¡No pasarán!, digo eu. "Eu, passarinho", diz o guarda-chuva, que, esquecido no chão, aberto, aproveita a primeira lufada para outra de suas brincadeiras favoritas: sair voando, desengonçado como uma galinha, um gordo dançando balé, um gorila brincando nos trapézios, irretocável em sua harmoniosa desconjunção.

Trinta e quantos?

Outro dia, numa mesa de bar, hesitante e assustado, me dei conta de que eu não sabia a minha idade. Trinta e seis parecia pouco, trinta e oito parecia muito e trinta e sete, sei lá por quê, me soava meio estranho. Que era alguma coisa por aí, eu tinha certeza. Trinta e cinco eu tive já faz muito, muito tempo, mas não tanto, tanto tempo pra que eu pudesse estar com quarenta; não, se eu fizesse quarenta, eu iria perceber, ou, no mínimo, iria ouvir algum comentário dos mais próximos. Céus, como pode, a esta altura do campeonato — qual altura, exatamente? —, a pessoa ignorar quantos anos tem?

Quando você é criança a idade é um negócio fundamental. É o dado mais importante depois do seu nome. Você aprende a mostrar nos dedos e passa uma década dizendo "quatro, vou fazer cinco", "cinco, vou fazer seis", "seis, vou fazer sete" e assim por diante. Lembro que, na época, eu achava de uma obviedade tacanha esse "vou fazer", mas hoje entendo: o desejo de crescer é uma parte fundamental do software com o qual viemos ao mundo. "Seis, vou fazer sete" é menos uma constatação óbvia do que uma saudável aspiração.

Na adolescência a idade continua sendo importante. Afinal, a diferença entre catorze e dezesseis é, geralmente, a diferença entre Mario Bros e o sexo. Pense no Mario Bros. Pense no sexo. Fica evidente que há certas coisas que só dois aniversários fazem por você.

Dos vinte aos trinta, avança-se lentamente, com sentimentos contraditórios. A escola foi há séculos, mas ser adulto ainda é estranho. Pelo menos, adulto como aqueles anciãos de trinta que usam gírias "de pai", dançam de um jeito engraçado e parecem ter aprendido a se vestir em algum sitcom da Warner. A resposta sincera a quantos anos você tem, nessa fase, seria: "Vinte e seis, queria fazer vinte e cinco", "vinte e cinco, queria fazer vinte e quatro", até chegar a vinte — acho que ninguém, a não ser dopado por doses cavalares de nostalgia e amnésia, gostaria de ir além, ou melhor, aquém, e voltar à adolescência.

Trinta anos é uma idade marcante. Agora é inegável que você ficou adulto e, se o seu quarto ainda guarda algum vestígio da escola (uma coleção de latinhas? Um cone de trânsito? Uma bandeira da Jamaica?), é o caso de refletir seriamente sobre a sua autoimagem. Trinta e um, trinta e dois, você vai anotando, sem perder a conta. Mas aí você faz trinta e cinco e entra numa zona cinzenta (ou grisalha?) em que idade não significa mais muita coisa. A impressão que eu tenho, a esta altura do campeonato — qual altura, exatamente? —, é que todo mundo tem a minha idade. Meus amigos de sessenta e poucos, meus amigos de vinte e muitos. Trinta e dois? Quarenta e oito? Não sendo púbere nem gagá, tão todos no mesmo barco, uns com mais dor nas costas, outros com os dentes mais brancos, mas no mesmo barco, trabalhando, casando, separando e resmungando no Facebook. Deve ser por isso que, sem perceber, parei de contar.

"Trinta e sete, Antonio! Você tem trinta e sete!", interveio minha mulher, lá no bar, meio brava com o meu lapso. Ainda fiz as contas no celular, pra ter certeza. Era isso mesmo. Trinta e sete, vou fazer trinta e oito.

Ao pé do olvido

De uns tempos pra cá começaram a nascer uns pelos nas minhas orelhas. São grossos e escuros. Alguns vêm lá de dentro do canal auditivo, como cipós saindo de uma gruta em busca do sol. Outros brotam na borda, nessa abinha que fica em cima do ouvido e que o Google acaba de me informar chamar-se "trago" — nome curioso, aliás, uma vez que o "trago" nunca me trouxe nada além desses pelos grossos e escuros.

Confesso que recebi a novidade pilosa com animação. Estou com trinta e sete, já faz muitos anos, portanto, que qualquer notícia capilar é necessariamente uma notícia ruim. O cabelo cai. As entradas aumentam. Fios brancos, antes não mais frequentes do que albinos numa multidão, são agora uma população importante na demografia da minha cabeça. Alguns de seus representantes mais intrépidos, inclusive, já podem ser encontrados tentando colonizar outras regiões mais ao sul deste corpo que habito.

Ao que parece, o objetivo dos alvos aventureiros do norte é ir descendo, devagarinho — primeiro a cabeça, depois a barba, depois o peito —, até fincarem suas bandeiras no ponto mais austral do meu ser: o dedão do pé. *Yankees, go home!*, eu grito, com uma pinça na mão, fazendo os colonizadores branquelos tremerem mais do que as tripulações de Amundsen, Shackleton e Scott sob o inverno antártico.

O problema do cabelo e dos pelos brancos nem é tanto estético, é mais o que eles representam: são um teaserzinho da morte, um trailer anunciando um filme cujo fim sabemos qual é; aniquilação total, em breve, num cinema dentro de você! Semana passada fui fazer o exame médico periódico na Globo, onde trabalho. A doutora, com aquele bom humor característico de médico da firma, disse que eu precisava me cuidar: "Desde os trinta e cinco que a natureza te abandonou. Daqui pra frente, o corpo só piora".

Fiquei com raiva da mulher. Decidi trucar aquele pessimismo: "Na verdade, a natureza não me abandonou, não. Aos trinta e cinco é que ela começou a brincar comigo. Afinal, tem algo mais natural do que a decadência? A morte? A podridão?". A doutora tirou os olhos da minha ficha e me encarou, surpresa: quem poderia ser mais baixo-astral do que uma médica em exame periódico da firma? Ora, um roteirista em exame periódico da firma.

Por essas e outras, recebi animado os novos pelos nas orelhas. Foi como se, já beirando os quarenta, uma parte de mim resolvesse declarar independência do resto do corpo e entrar, pela segunda vez, na puberdade. Do nada, a penugem clara engrossou e escureceu, como os pelinhos do meu bigode e do púbis, lá se vão vinte e tantas primaveras (ou, deveria dizer, outonos?). O melhor é que essa adolescência tardia acontece justo lá no hemisfério norte, onde os colonos caucasianos já ameaçam a sobrevivência da castanha população autóctone.

Minha mulher, insensível à batalha que está sendo travada

entre Eros e Tânatos, com queratina e melanina, a leste e oeste de minha consciência, insiste para que eu arranque os novos pelos. Jamais! Os cabelos embranquecem ou caem, as costas doem e o colesterol não vai lá muito bem; é verdade, doutora, dos trinta e cinco em diante vamos nos curvando nessa lenta e inapelável reverência à "indesejada das gentes", mas nas minhas orelhas há viço, há vigor. Ao pé do olvido, elas adolescem.

Crônica de Natal

Minha mulher sugere colocarmos luzinhas coreanas no chapéu-de-sol em frente de casa. Eu resmungo qualquer coisa. Ela percebe a má vontade e se incomoda. "Que foi?!", pergunto, com aquela surpresa dissimulada que nós, homens, lançamos quando queremos desacreditar as reações femininas, colocando-as na conta dos instáveis vapores uterinos — não na das nossas renitentes neuroses. Ela saca a estratégia e põe as cartas na mesa: diz que eu torci o nariz quando chegou com o pinheirinho, sábado passado, que foi de muito mau humor que a ajudei a pendurar os enfeites, domingo, e agora fico fazendo corpo mole diante das luzinhas coreanas. Por fim, me acusa: "Você é ridículo: você é contra o Natal!".

Sou? Não queria. Me parece mesmo ridículo ser "contra o Natal", digo que não lembro de cara feia nenhuma ao decorarmos o pinheiro e reafirmo que meu problema é só com as luzinhas. Ela pergunta o que há de errado com elas. Levanto o indicador, pronto pra fazer um discurso inflamado, mas fico mudo como a estátua de Duque de Caxias, com sua espada em riste. O que há de errado com as luzinhas? Penso em alegar desperdício de energia. Teria, é verdade, um argumento sólido — ou líquido, se apelasse pro degelo das calotas —, mas estaria mentindo. Não é uma questão ecológica.

"Você não acha bonito as árvores todas iluminadas?" Sigo calado — agora, já com o indicador recolhido ao bolso — e percebo que acho bonitas, sim, essas árvores luminosas. Dão às noites de dezembro um ar vibrante — vamos até a farmácia comprar fralda e parece que estamos indo a uma festa. Daí pra vestir no chapéu-de-sol a polaina de lampadazinhas já são outros quinhentos.

"Qual o problema?" — ela insiste. "É que nem o Halloween? Vai dizer agora que é 'uma festa importada'?" Não, de jeito nenhum. Halloween, admito: sou contra. Não por nacionalismo, mas por senso de ridículo. Aquelas abóboras e caveiras, entre nós, soam tão naturais como as perucas nos carecas. Já o Natal é uma festa cristã, somos um país majoritariamente cristão e mesmo que a data tenha virado sinônimo de comércio, eu, com meu Nike nos pés e iPhone no bolso, não teria muita moral pra um discurso franciscano.

Não, eu não sou contra o Natal. Tenho um amigo, o Maurício, que é. Contra o Natal, o Carnaval, abraços no oi e no tchau e qualquer outra manifestação — falsa, segundo ele — de afeto ou felicidade. Ele tem seu ponto, mas sou diferente do Maurício. Sou coração mole. Fico feliz no mês de agosto, quando chega o cartão do meu dentista desejando feliz aniversário. Por que, então, ó Pai, fiz cara feia pro pinheirinho, resmunguei pra pendurar enfeite, me recuso a enrolar no chapéu-de-sol as luzinhas coreanas?

Não sei, mas minha mulher parece ter uma teoria: "Você é um metido! Você se acha superior, é isso! Não quer 'brincar de Natal' só porque tá todo mundo brincando! Fica falando mal da direita, mas age que nem um aristocrata!". Calúnias! Calúnias!

Calúnias que tento calar, agora, do alto deste chapéu-de-sol, com vinte metros de luzinhas coreanas (que, diga-se de passagem, são "made in China") enroladas no ombro. Só torço pra não cair daqui nem morrer eletrocutado. Não quero que soe aristocrático, mas preferia um fim um pouquinho menos ridículo.

Crônica de quatro faces

A primeira gaveta, a dos talheres, é a mais organizada. Divisórias separam os garfos, as facas e as colheres grandes; os garfos, as facas e as colheres de sobremesa; por fim, num escaninho perpendicular, ficam as colherinhas de café. Essa arrumação militar me traz sentimentos contraditórios. Por um lado, vendo cada coisa em seu lugar, me tranquilizo: temos aqui um lar, um teto, um ninho seguro pra criar os filhos, construído dia a dia — garfo a garfo — com o suor do nosso rosto. Sei que a última frase soou meio clichê. É que o lugar-comum, como a própria expressão aponta, traz o conforto do reconhecimento — e eis aí a segunda parte dos sentimentos contraditórios sugeridos pela gaveta: essa tranquilidade desperta em mim a ânsia do rebanho. Trata-se, sem dúvida, de uma gaveta totalitária. Ali dentro não há qualquer possibilidade de dissenso: uma colherinha de café que resolva fazer companhia pras facas é imediatamente reconduzida ao seu compartimento. Stálin seria um bom patrono pra primeira gaveta. Kafka saberia retratar bem seus horrores. Ou Orwell? (No fundo da primeira gaveta, através de uma pequena "Teletela", o Grande Irmão assiste a tudo.)

A gaveta de baixo é diferente. Não há divisórias. Todos se misturam. Parece uma festa. Uma festa do jet set, claro, porque ali não há sombra de padronização, cada um é único, o melhor de sua área: a faca de churrasco flerta com a espátula de silicone da Spicy, o saca-rolhas conta uma piada pro descascador de cenoura, a escumadeira cochicha algo pro funil. Se a primeira gaveta veste farda, a segunda é esporte fino. Lá no fundo não há "Teletela", mas um globo de espelhos.

A terceira gaveta também é uma festa, só que mais esculhambada. Ali moram os utensílios que a gente não usa. Uma geringonça de espremer batata, colheres de pau lascadas, uma faca de pão com o cabo derretido, ancestrais garfinhos de fondue. (Nunca fizemos fondue. Será que ainda temos a panela, presente de casamento de uma finada tia-avó?) Pensando bem, talvez eu esteja sendo preconceituoso: por que "esculhambada"? Talvez, festa boa mesmo seja a da terceira gaveta. Não aquele clima de cercadinho VIP da segunda, mas de jam session num hotel decadente. Bem mais interessante bater um papo com a faca de cabo queimado e ouvir a história de sua cicatriz do que aguentar a espátula da Spicy, no andar de cima, contando vantagens sobre seu cabo de silicone. Britney Spears, Tom Cruise e Djokovic estariam na segunda gaveta. Itamar Assunção, Jacques Tati e o dr. Sócrates, na terceira.

E a quarta e última gaveta? Pois é, taí uma questão que eu nunca consegui responder. A quarta gaveta é um limbo, um "achados e perdidos" onde se misturam o manual de instruções da geladeira, uma caixa de palitos Gina, três jogos americanos (diferentes), um toco de vela, araminhos de fechar pão e uns hashis de japonês delivery ainda com telefones de sete dígitos. É como se, saindo da organização platônica da primeira gaveta, fôssemos descendo rumo à desordem, até chegar à indeterminação total, onde tudo perde o sentido. Perdoem terminar assim essa crônica natalina, sem vislumbre de manjedoura ou cheiro de panetone: mas essas gavetas, mas esse conhaque, botam a gente comovido como o diabo.

A metamorfose — com barreiras

"Quando certa manhã (...)." Olivia, que que cê tá pondo na boca? Dá aqui! O papai já falou! Não é pra pôr o Lego na boca! "Quando certa manhã Gregor Samsa (...)." Que, filhota? Cocô? Deixa eu ver essa fralda. Não, não tem cocô. "Quando (...)." Ah, coco! Água de coco! Tá com sede, tá? Vamos pegar água de coco. "Quando certa manhã Gregor Samsa acordou de sonhos intranquilos (...)." Não, Olivia! É pra beber a água, não é pra virar a caneca! Olivia! Não! Isso, água é na boca, Lego é pra brincar, ó, hmmmmm, que delícia a água, né? "Quando certa manhã Gregor Samsa acordou de sonhos intranquilos, encontrou-se em sua cama metamorfoseado num (...)." Não, Olivia! Que que o papai falou?! É, não adianta chorar agora, eu avisei, molhou o vestido todo, né? Calma, vem cá, vamos botar uma roupa seca. "Quando certa manhã Gregor Samsa acordou de sonhos intranquilos, encontrou-se em sua cama metamorfoseado num inseto monstruoso." Não, Olivia, não vou pôr filminho. Não é hora de filminho, você sabe disso. Olha aqui o livrinho da vaca! Como é que a vaca faz? Muuuu! "(...) encontrou-se em

197

sua cama metamorfoseado num inseto monstruoso." Não quer o livrinho da vaca? E o livrinho do trem? Piuíííí! "(…) metamorfoseado num inseto monstruoso." É, o livrinho do trem! Piuíííí! Isso. Todo mundo lendo livrinho, ó só que legal! "Estava deitado sobre suas costas duras como couraça e, (…)." Não, Olivia! Não é pra rasgar o livro! Arrancou a chaminé do trenzinho. Cadê a chaminé do trenzinho, Olivia? Abre a mãozinha, abre? Abre a boca! Não é engraçado, Olivia! Abre a boca! Dá aqui, dá! Papai já falou, não é pra pôr nada na boca! Não gostei! Não, não vou pôr filminho, agora é hora de brincar. Olha aqui a boneca da Peppa. Bota a Peppa na cadeirinha. Isso! "Estava deitado sobre suas costas duras como couraça e, ao levantar um pouco a cabeça (…)." Não, Olivia, filminho é só depois do jantar. Brinca mais com a Peppa. "(…) viu seu ventre abaulado, marrom, dividido por nervuras arqueadas, no topo do qual a coberta (…)." Não, o papai não vai pegar. Você jogou a Peppa na varanda, você pega a Peppa na varanda, né? "(…) no topo do qual a coberta prestes a deslizar de vez, ainda mal se sustinha." Quer a Peppa, pega a Peppa, Olivia, já falei. "Suas numerosas pernas, lastimavelmente finas em comparação com o volume (…)." Aqui a Peppa, aqui! Mas não joga de novo, combinado? "(…) lastimavelmente finas em comparação com o volume (…)." Que foi, Olivia? Não, Olivia. Não é hora de filminho. Pode chorar à vontade. "(…) lastimavelmente finas em comparação com o volume do corpo, tremulavam desamparadas (…)." Não chora, Olivia. Calma, Olivia. "(…) tremulavam desamparadas (…)." Não grita, Olivia! Péra, Olivia! "Suas numerosas pernas, lastimavelmente finas em comparação com o volume do resto do corpo (…)" Tá bom, Olivia, aqui, o papai vai pôr o filminho. "Meu pintinho amarelinho", "(…) em comparação com o volume, (…)", "Cabe aqui (…)", "(…) do resto do corpo (…)", "(…) na minha mão", "(…) tremulavam desamparadas (…)", "Na minha mão", "(…) diante dos seus olhos", "Quando quer comer bichinhos", "O que aconteceu comigo?", "Com seus pezinhos", "O que aconteceu comigo? — pensou", "Ele cisca o chão".

Mal-ajambrados

O problema não era nas minhas costas, disse o médico, era na nossa espécie. Então tirou da estante um velho livro de anatomia e mostrou que a coluna e o abdome humanos haviam se desenvolvido durante milhões de anos pra sustentar quadrúpedes, não bípedes.

Acontece que lá nas savanas da África, num dia iluminado para o intelecto e aziago para a lombar, algum ancestral conseguiu se apoiar em duas pernas, posição que lhe permitiu enxergar mais longe e ter as mãos livres pra construir ferramentas, fazer cafuné e jogar joquempô.

A ereção do hominídeo impressionou muitíssimo as hominídeas do bando, que vieram todas correndo e gritando "Seus genes! Seus genes! Queremos espalhar seus genes!", razão pela qual passamos a andar sobre duas pernas e a bufar com as mãos nas costas, *per saecula saeculorum*. O médico fechou o livro e me indicou um pilates.

Enquanto ergo lentamente o "core", ao lado de mais seis ou sete entrevados bípedes que buscam, a duras penas, o fortalecimento torácico, sou tomado por um pensamento: e se, em vez de levantar, o macacão tivesse deitado? E se, em vez de passarmos de quatro pra dois apoios, tivéssemos evoluído pra nenhum? Ah, que futuro lindo nós perdemos! Em vez de andarmos envergados por aí, enfrentando passo a passo a inclemente gravidade, viveríamos nos arrastando ou rolando mundo afora, feito leões-marinhos, feito morsas gordas e descansadas, sem jamais desconfiar que sob nosso adiposo *sleeping bag* corporal haveria horrores chamados "lombar" ou "escoliose" ou "lordose" ou "hérnia de disco".

Dizem os biólogos que o bipedalismo foi crucial pro desenvolvimento humano — e não me refiro só à pedra lascada, ao cafuné e ao joquempô. Tirar a fuça do chão e pôr os olhos no horizonte sentenciou a primazia da visão sobre o olfato, do intelecto sobre os instintos, da cultura sobre a natureza e daí pra escrevermos sonetos, inventarmos a pizza com borda recheada de catupiry e projetarmos drones que entregam sonetos ou pizzas com borda recheada de catupiry foi um pulo.

Mas quem disse que, deitados, não poderíamos ir ainda mais longe — mesmo sem sair do lugar? Quem sabe o que teria acontecido se, em vez de *Homo erectus*, depois *Homo sapiens* e *Homo sapiens sapiens*, evoluíssemos para *Homo statelatus*, depois para o *Homo statelatus sapiens* e — por que não? —, *Homo statelatus sapientisimus*?

Afinal, se enxergar mais longe nos deu a chance de encontrar mais comida e mais comida resultou no aumento do nosso cérebro, imagina o tamanho da nossa cachola com todas as calorias economizadas numa existência 100% horizontal. Seríamos hoje morsas cabeçudas discutindo física quântica e James Joyce com as panças esparramadas no chão?

Não há como saber. A biologia só consegue traçar o caminho trilhado, não os infinitos labirintos genéticos que deixamos de percorrer. Me resta apenas amaldiçoar o ancestral que primeiro se ergueu, fazer mais trinta segundos de "fortalecimento de oblíquo" e três séries de "abdominais laterais sobre a bola suíça", a fim de ajudar minha mal-ajambrada verticalidade a dar com menos dor os passos que lhe restam antes que um susto, uma bala ou os vícios me ponham, definitivamente, na horizontal.

Daniel

Se esta crônica está sendo publicada hoje é porque você nasceu, Daniel. (Se esta crônica não está sendo publicada hoje, é porque você ainda não nasceu, mas, se você ainda não nasceu e esta crônica não está sendo publicada hoje, esta frase não tem razão de ser, uma vez que não será lida por ninguém além de mim e da Andressa, da *Folha*, a quem mando o texto no fim da gravidez, por precaução. Tudo bom, Andressa? Não, Andressa, eu não quis dizer que a gente era ninguém. Ah, o correto é "a gente não era ninguém"? Com a dupla negativa mesmo? Hm. Obrigado, Andressa. Eu não quis dizer que a gente não era ninguém, mas é que as crônicas costumam ser pra mais do que duas pessoas. Se bem que, pensando melhor, nem todas. Esta aqui, por exemplo, é pra uma pessoa só. Afinal, como eu ia dizendo até ser interrompido pela visita inesperada de uns parênteses, se esta crônica está sendo publicada hoje é porque você nasceu, Daniel.)

Você era ninguém, agora você é alguém — e, acredite, essa é a coisa mais fantástica que pode acontecer com ninguém em todo o universo. Eu digo "acredite" porque não é exatamente um consenso por estas bandas ultrauterinas. Há quem fique na dúvida entre ser ou não ser, há quem diga que chove muito ou pouco e que há dor de dente e nas costas e tantas outras dores do mundo que o melhor seria não ser ou ser granito ou fumaça, o que dá na mesma. Um homem muito sabido chegou a dizer que o que todo mundo quer é voltar praquele lugar morninho do qual você acabou de sair. Talvez ele tenha razão, mas, como a via é de mão única, eu digo para o seu alento: tem muito programa bom por aqui.

Não sei nem por onde começar, porque não sei ainda do que você gosta. Eu e a sua mãe vamos tentar mostrar um pouco de tudo, aí você decide. Carne, peixe, frango; Palavra Cantada, Ramones, Cartola; mar, campo, cidade; arara, camelo, avestruz; tinta, massinha, carvão; Corinthians, Corinthians, Corinthians — lamento, filho, mas, por mais pluralistas que sejamos, há algumas regras que precisam ser respeitadas. Brincadeira, eu vou te amar mesmo que o seu avô te converta num são-paulino. Mas saiba que isso vai dificultar um pouco a nossa relação. E muito a minha relação com o seu avô. É uma escolha sua. E do seu avô. (Tá dado o recado, Mario Luiz.)

Daniel, prometo que vamos fazer o que estiver ao nosso alcance pra te ajudar, mas desde já peço desculpas por nossos inúmeros tropeços. Embora estejamos mais experientes depois da Olivia — duvido, por exemplo, que em vez de pomada pra assaduras passemos pasta de dentes no seu bumbum (as bisnagas eram idênticas! Caramba, Weleda!) —, alguns deslizes são inevitáveis.

Esta crônica tá meio confusa, verdade. É que é difícil esse negócio de dar as boas-vindas a alguém que chega ao mundo. Não sei se falo do Drummond ou do dedo na tomada, se calo ou te compro uma bicicleta. Tudo bem, faz parte. A vida também é confusa, Daniel. É confusa, chove, dói dente, costas e outros costados, mas vale muito a pena. Você não existia, agora existe: esse é o grande milagre diante do qual nos curvamos, crentes ou ateus, corintianos ou são-paulinos. Seja bem-vindo, meu filho, seja o que você quiser, seja o que você puder, desculpa qualquer coisa — e cuidado com as tomadas.

Um machado, comida pra gato

Por vinte anos, trabalhei em casa: me trancava no escritório e, escondido de mim mesmo — ou das tentações que poderiam me afastar de mim mesmo, como a televisão, o telefone, a geladeira —, escrevia o que tinha que escrever. Com dois filhos, porém, o meio de campo embolou um pouco e acabei alugando uma sala comercial, na rua de baixo, em cima de um pet shop. Poderia falar maravilhas da minha sala comercial: a paz, o silêncio, a concentração monástica que alcanço sem crianças, vizinhos ou internet. Hoje, porém, quero falar do pet shop, no térreo.

Não tenho cachorro, gato ou periquito. Os bichos que entram lá em casa são todos do tipo que se trata com Baygon ou — glória ao Senhor! — raquetinha elétrica. Daí resulta que, todo dia — e pela primeira vez na vida —, passo por uma loja onde não há nada, absolutamente nada que eu queira comprar.

Note que eu digo "queira comprar" e não "vá comprar", pois meu consumismo é de natureza meramente contemplativa. Acho que sou um voyeur. Olho encartes publicitários nos jornais e faço compras mentais. Três quilos de bacalhau da Noruega.

Um fogão de seis bocas. Um Land Rover, em cento e sessenta vezes, sem juros. São pequenos devaneios, no meio da tarde, sem nenhum compromisso com a realidade. É como se apaixonar pela voz de uma cantora, no rádio, parado num sinal. Depois a música acaba, o trânsito anda, a paixão se esfuma.

Digamos que eu vá numa dessas enormes lojas de construção pra comprar, sei lá, mãos francesas. Num corredor, me deparo com um machado. Meus olhos brilham. Um machado de verdade! Cabo de madeira, lâmina vermelha com fio metálico, como nos desenhos animados da minha infância. Custa duzentos reais. Eu tenho duzentos reais. Eu não tenho um machado. O que eu faria com um machado? Sei lá. Vai que cai uma árvore, na minha rua? Vai que pega fogo na casa da vizinha e ela, apavorada, não consegue abrir a porta? Me vejo correndo pela rua, todo Bruce Willis. Me vejo sendo carregado pelo povo, sob aplausos, e dando entrevistas pra televisão.

Ando mais um pouco, chego na seção de cordas. Há cordas de cânhamo, como as de um navio pirata, cordas coloridas, como as de um alpinista. Quero levar trinta metros dessa. Quarenta daquela. Cinquenta da outra. Tento justificar meu desejo: deve haver alguma coisa na minha casa que precise ser amarrada. Não, não há. Vou deixar no carro, então. Tenho certeza de que algum dia me depararei com uma situação em que as cordas serão fundamentais. Não, não tenho certeza nenhuma. Desisto das cordas.

Faz uns anos, quebrei o pé. Na loja de produtos ortopédicos, enquanto esperava o vendedor me trazer as muletas, me flagrei, atento, decidindo entre diferentes próteses de quadril. "A vermelha parece mais sólida. Mas a azul, bom, a azul talvez seja mais leve..."

Já comprei, mentalmente, jatos executivos, cubas pra pia, blocos de mármore, canos de cobre, pés de cabra e moinhos eólicos. No pet shop aqui embaixo, contudo, nada me interessa. Todo dia, vejo com o canto dos olhos as embalagens coloridas e sinto um vazio no peito. Whiskas sabor legumes, focinheiras, jaulinhas de plástico pra levar bichos no avião. Não tenho cachorro, gato ou periquito. Talvez, um dia, compre um machado.

Abraçando árvore

Não era uma felicidade eufórica, dessas de gritar "Urrú!", estava mais pra uma brisa de contentamento, como se eu bebesse vinho branco à beira-mar ou lesse Rubem Braga na varanda de um sítio. Eu tinha acordado cedo, naquela sexta — e acordar cedo sempre me predispõe à felicidade. O trabalho havia rendido bem e, antes do fim da manhã, já tinha acabado de escrever tudo o que me propusera para o dia. À uma, fui almoçar com o meu editor. Ele estava com alguns capítulos do meu livro novo desde dezembro e eu temia que não tivesse gostado. Gostou. Fez alguns reparos com que concordei. Comemos um peixe na brasa — peixe e brasa também costumam me predispor à felicidade — e como era sexta-feira, e como somos amigos, e como comemorávamos essa pequena alegria que é um trabalho andar bem, uma parceria funcionar, brindamos com vinho branco — não à beira-mar, mas à beira do cemitério da Consolação, que pode não ter a grandeza de um Atlântico, mas também tem lá os seus pacíficos encantos.

209

Saí andando meio emocionado, meio sem rumo pela tarde ensolarada e quando vi estava em frente à paineira da Biblioteca Mário de Andrade. É uma árvore gigante, que provavelmente já estava ali antes do Mário de Andrade nascer, continuou ali depois de ele morrer e continuará ali depois que todos os dezoito milhões de habitantes que hoje perambulam pela cidade de São Paulo estiverem abaixo de suas raízes. Talvez tenha sido o assombro com essa longevidade, talvez acordar cedo, talvez os elogios ao livro e o vinho certamente colaborou: fato é que senti uma vontade súbita de abraçar aquela árvore.

Acho importante deixar claro, inclemente leitor, que não sou do tipo que abraça árvore. Na verdade, sou do tipo que faz piada com quem abraça árvore. Se me contassem, até esse dia, que algum amigo meu foi visto abraçando uma paineira na rua da Consolação eu diria, sem pestanejar: enlouqueceu. Mas…

Não haveria nada de místico no abraço. Eu não achava que a paineira iria me emprestar qualquer "energia", nem que ela sugaria de minh'alma possíveis toxinas metafísicas. Era algo simbólico como atirar uma rosa ao mar, dia 31 de dezembro, uma mínima inflexão na correria: aí está você, imóvel e longeva, aqui estou eu, ágil e breve, duas soluções do acaso para a soma de elementos da tabela periódica — e ela seguiria ali, com sua fotossíntese, eu seguiria adiante, com minhas caraminholas.

Olhei prum lado. Olhei pro outro. Tomei coragem e foi só sentir o rosto tocar o tronco pra ouvir: "Antonio?!". Era meu editor. Foram dois segundos de desespero durante os quais contemplei o destrato do livro, a infâmia pública, o alcoolismo e a mendicância, mas só dois segundos, pois meu inconsciente, consciente do perigo, me lançou a ideia salvadora. "Uma braçada", disse eu, girando pra esquerda e envolvendo a árvore, novamente, "duas braçadas e… Três". Então encarei, seguro, meu possível verdugo: "Três braçadas dá o quê? Uns cinco metros de perímetro?

Tava medindo pra descrever, no livro. Tem uma parte mais no fim em que essa paineira é importantíssima".

Colou. Nos despedimos. Ele foi embora prum lado, a minha felicidade pro outro e agora estou aqui, já madrugada de sábado, tentando enfiar a todo custo um tronco de quase dois metros de diâmetro num livro em que, até então, não havia nem uma samambaia.

Tal pai, tal filho

Não é uma questão subjetiva, que seria facilmente explicada por um psicanalista com termos como "projeção" ou "deslocamento" ou sei lá quais nomes dão os psicanalistas para casos semelhantes, é um fato objetivo, constatado por todos os que nos visitam ou veem as fotos no Instagram: meu filho é idêntico ao meu pai. Não idêntico ao meu pai quando criança, mas idêntico ao meu pai hoje: o mesmo sorriso irônico quando faz gracinhas, a mesma carranca furibunda quando é contrariado. Às vezes, indo espiá-lo no berço, temo encontrá-lo com um Minister aceso no canto da boca — então me lembro que o meu pai parou de fumar e respiro aliviado.

Sei que é normal eles se parecerem. Afinal, 25% dos genes do meu filho vieram do avô — e, por alguma razão, 100% desses genes resolveram se estabelecer na região que vai do queixo ao cocuruto —, mas que é estranho olhar pra um bebezinho de três meses e ver ali meu progenitor, de setenta anos, é. Tal semelhança, confesso, tem atrapalhado um pouco a nossa relação. Minha com o meu filho, digo. Minha com o meu pai, digo também.

Quando nasce um filho, o amor não é imediato. Pelo menos, no caso dos meus dois, não foi. Ao pegar minha primeira filha no colo, eu a olhei nos olhos e pensei, assustado: "Meu Deus, e agora, não temos nenhuma intimidade!".

Devagarinho, contudo, o amor vai nascendo. Você troca a fralda, passa pomada, pinga Rinosoro, nina o bebê revoltado às dez pras quatro da manhã e, mistério dos mistérios, quanto mais coisa chata você faz, mais o seu amor cresce, até o ponto em que se vê completamente apaixonado, descrevendo pra uma plateia bocejante ou enojada os incríveis aspectos físico-químicos do cocô daquela manhã.

O problema do meu filho ser a cara do meu pai é que tá dando uma linha cruzada nos vínculos. Na última quarta, por exemplo, meu pai me ligou lá pela meia-noite pra falar mal do Corinthians, que perdeu pro Guarani paraguaio e foi limado da Libertadores.

Atendi mal-humorado. Por quê? Ora, porque eu estava há mais de uma hora olhando pra sua cara chorosa, quero dizer, pra cara chorosa do meu filho, em meus braços, tentando fazê-lo dormir. Como pode um senhor de setenta anos demorar tanto pra pegar no sono?

Eu já sabia, com a minha psicanálise de botequim, que o nascimento de um menino cria o tal triângulo edípico, que a criança se interpõe entre marido e esposa e que dá ciúmes daquele outro homem, mesmo sabendo que ele é um nenenzinho. Agora, imaginem a minha situação: todo dia, várias vezes, flagro minha mulher dando o peito pro meu pai. Cantando pro meu pai. Dando banho no meu pai. E eu lá, quietinho, do lado, fazendo bilu-bilu — no meu pai.

Pra piorar, minha psicanalista se deu alta e mudou pra Argentina. Tá puxado, mas não esmorecerei. Meu pai, quer dizer, meu filho, você pode ficar tranquilo: seguirei te cuidando, trocando suas fraldas, dando banhos e mamadeiras com todo amor e carinho. Mesmo porque, daqui a algumas décadas, deste saquinho besuntado de Hipoglós, sairei eu — e o mínimo que espero é reciprocidade no tratamento.

Dormir é para os fracos

Catorze constatações a partir da paternidade: uma crônica de autoajuda para os que pretendem procriar — ou talvez, mais ainda, para os que não pretendem.

1) Antes de ter filhos, eu era um vagabundo que ficava reclamando, sem razão, de não ter tempo pra nada.

2) Depois de ter filhos, eu sou um pobre-diabo que fica reclamando, com razão, de não ter tempo pra nada. (Se hoje me dessem três meses com o tempo livre que eu tinha há dois anos, eu conseguiria aprender esperanto, escrever *Anna Kariênina* e treinar pro Ironman).

3) Se eu tivesse um minuto pra pensar a respeito da paternidade, provavelmente me daria conta de que estou vivendo um dos momentos mais gloriosos da minha breve passagem sobre a terra: estou acompanhando o desabrochar de pequenos seres humanos feitos com metade dos meus genes e metade dos genes da mulher amada.

4) Se eu não tenho um minuto pra pensar a respeito da paternidade, é porque estou exercendo a paternidade, o que significa, entre outras coisas: tentar evitar que um desses pequenos seres humanos ponha na boca a mão que acabou de meter na fralda suja de cocô; tentar convencer o outro pequeno ser humano de que não dá pra vermos o caranguejo agora, pois o caranguejo mora em Ubatuba, nós moramos em São Paulo — e são duas e trinta e sete da manhã. Tais atividades, convenhamos, deixam pouco espaço pra contemplação.

5) Felizmente, devido a uma simpática trapaça cognitiva, pregada pela seleção natural, o cocô dos nossos filhos nos parece muitíssimo menos repulsivo do que os cocôs do resto da humanidade. (Infelizmente, não a ponto de nos esquecermos que aquilo na fralda, nas costas, nas pernas ou na mão do pequeno ser humano continua sendo cocô.)

6) Depois de ter filhos, os minutos destinados ao próprio cocô se transformam num raro e beatífico momento de paz, pelo qual os jovens pais anseiam como um monge por sua meditação.

7) (Não é incomum pais neófitos simularem dores de barriga pra poderem se trancar no banheiro várias vezes ao dia e: ler rótulo de creme hidratante, dar "like" na foto do gato da prima, fitar os azulejos num torpor quase místico.)

8) Ninando um bebê, me descubro capaz de executar funções com partes do meu corpo que, até ter filhos, julgava completamente ineptas. Consigo abrir e fechar uma maçaneta com o cotovelo — sem fazer barulho. Consigo regular o dimmer com a bunda. Consigo abrir e fechar o mosquiteiro com o nariz. Coço o queixo na estante de livros, as costas no armário embutido, a testa no prato da samambaia. Se tiver uma única mão livre, posso fazer o solo de bateria do John Bonham em "Moby Dick", de trás pra frente — só não faço porque iria acordar o bebê.

9) Antes de ter filhos, eu achava o fim da picada pais que trabalhavam com: babá, biscoito recheado, televisão no carro.

10) Hoje, procuro uma folguista pro fim de semana (pago metade do meu salário e dou meu carro como bonificação), negocio "Só mais uma, já é o terceiro pacote!" e imploro "Não chora! Olha o filme do Senhor Batata! A Menina Moleca! A Galinha Pintadinha!".

11) Galinha Pintadinha é a imagem da Besta.

12) Galinha Pintadinha é uma bênção divina.

13) Dormir é para os fracos.

14) Eu sou fraco.

Refogar cebolas

A Mari entra na cozinha com umas cinco sacolas em cada mão: "Cês podem ajudar a descarregar?". Estou refogando umas cebolas, ela passa os olhos por mim, "O Antonio não, claro" e sinto uma paz de espírito meio exagerada pra quem foi simplesmente liberado de tirar as compras do carro. Enquanto meus amigos vêm com caixas e caixas, neste primeiro dia de férias na praia, sigo ali no fogão, mexendo a colher pra cá, mexendo a colher pra lá e pensando por que diabos tanto alívio por tão minúsculo habeas corpus. À medida que o refogado vai ficando translúcido, também se clarificam as ideias: percebo que o alívio não vem daquela tarefa específica, mas de todas as possíveis e imagináveis incumbências que podem surgir e das quais estarei liberado enquanto refogar cebolas. Entendo, em parte, por que gosto de cozinhar.

Escrever dá trabalho. "Lutar com palavras/ é a luta mais vã", já sabia o Drummond, "Entanto lutamos/ mal rompe a manhã." Escrever quase sempre dá errado: "Luto corpo a corpo,/ luto todo o tempo,/ sem maior proveito/ que o da caça ao vento". A caça é ininterrupta: no escritório, no chuveiro, na fila do caixa do Frango Assado da rodovia Carvalho Pinto — e "Cerradas as portas,/ a luta prossegue/ nas ruas do sono". (Mundo mundo vasto mundo/ se eu tivesse prestado engenharia medicina arquitetura/ não seria uma rima e a métrica ia pro espaço, mas talvez fosse uma solução.) Ter filhos dá trabalho. Antes de eles nascerem você acha que vai botá-los num pedestal, vai contemplar o milagre da existência e depois vai continuar a ler *Guerra e paz* com sua caneca na mão. (Gargalhada histérica.) (Retomada de fôlego.) (Mais um pouco de riso.) (Travo melancólico.) O negócio é que é meio difícil contemplar o milagre da existência — e definitivamente impossível ler *Guerra e paz* — quando se está ocupado contando medidas de leite em pó, negociando colheradas de verduras por minutos de Peppa Pig ou tentando evitar que uma mãozinha recém-saída da fralda cheia de cocô chegue à boca ou à barriga ou à parede, no escuro, às 3h47 da madrugada.

Não bastasse o fluxo contínuo de palavras, Aptamil, Peppa Pig e cacas mil, há ainda esses pequenos exus eletrônicos assoviando pra gente de dentro do Wapp, do Facebook, do Twitter, do e-mail, do Instagram e de outros tantos anéis do inferno digital, ordenando, como uma assombração num filme B: "Venhaaa! Venhaaa! Venhaaa!" — e o pior é que a gente vai.

Então você começa a refogar cebolas: de uma hora pra outra, desaparece o burburinho ensurdecedor das demandas e só se ouve o crepitar dos cubinhos translúcidos no azeite. É preciso descarregar as compras, arrumar a casa, trocar as fraldas, responder e-mails, terminar o romance, dar share em notícias, colaborar em *crowdfundings*, fazer as pazes com o pai, perdoar a si próprio, ler Tolstói, arrumar as estantes, ganhar dinheiro, tomar vergonha na cara, perder a vergonha na cara, comer mais fruta, beber menos, cuidar melhor do seu amor, entender, afinal, se você faz da vida o que realmente deseja ou simplesmente boia num rio formado por sortes, azares, covardias, conveniências: mas agora não. Agora você só precisa refogar cebolas.

Carta pro Daniel

Talvez algum dia, nas próximas décadas, você esbarre nessa crônica, pela internet. Talvez uma tia comente, "lembro de um texto que o teu pai te escreveu quando você era bebê, era sobre uma praça, acho, cê já leu?". Talvez eu mesmo te mostre, na adolescência, vai saber?

Essa crônica é sobre uma praça, sim, sobre uma tarde que a gente passou na praça, no dia 5 de abril de 2016 (ontem). Não é nenhuma história extraordinária a que vou te contar. É uma história simples, feita de elementos simples como é feita a maior parte da vida da gente, esses 99% de que a gente desdenha, sempre esperando por acontecimentos extraordinários. Mas acontecimentos extraordinários são raros, como a própria palavra *extraordinário* já diz, aí a vida passa e a gente não aproveitou. Pois hoje você me fez aproveitar a vida, Daniel, por isso resolvi te escrever, agradecendo.

Eu tava lá em casa, triste com os rumos do país, triste com outras questões paralelas inteiramente irrelevantes para a pátria, mas especialmente doloridas para este patrício, então você cruzou a sala no colo da Jéssica, sorrindo, e me deu uma vontade louca de passarmos um tempo juntos. Falei, "Queca, dá esse menino aqui, a gente vai na praça, eu e ele, vamos, Dani? Só os homens?". Eu te botei no carrinho, descemos pelo elevador e ganhamos a rua.

Você ia batendo as pernas, eufórico, apontando as coisas e soltando seus grunhidinhos, como que querendo me mostrar o que vê a caminho da praça, com a Jéssica, todas as manhãs. Eu ia dando nome às coisas. É, Dani, é a árvore. É, é o carro. É o caminhão. As pessoas que a gente cruzava abriam sorrisos pra você e depois pra mim. Nós sorríamos de volta, eu por orgulho, você por simpatia — você é assim desde que nasceu, de bem com a vida, tão diferente deste teu pai, sempre angustiado, aflito, procurando cabelo em ovo.

Chegamos na praça. Eu quis te pôr no balanço, mas você me apontou o túnel de concreto. Te coloquei numa ponta do túnel, fui andando em direção à outra, sumi de vista por uns segundos e você deu uma resmungada, achando que eu ia te abandonar ali, mas então me agachei e apareci do outro lado. Você achou aquilo hilário — "O cara tava aqui, sumiu e apareceu lá!"—, deu uma gargalhada e veio engatinhando até mim.

Fui te pegar no colo, mas você se esquivou e olhou pra outra ponta. Entendi a brincadeira, corri até a outra ponta, me agachei. Você me viu, gargalhou de novo — "Agora o cara tá do outro lado! Que loucura!" —, foi até lá, me mandou voltar e nós ficamos perdidos nisso pelo que me pareceram horas: eu aparecia numa ponta do túnel, você engatinhava até lá, eu corria pra outra, você vinha de novo. Quando me dei conta — não vou dizer que meus problemas tivessem sumido, que a tristeza houvesse passado, mas... —, eu estava, como diria o poeta, comovido como o diabo.

De noite, deitado na cama, eu me consolaria: esse mundo

é uma tragédia, o Brasil tá ferrado e eu também não me sinto muito legal, mas eu tenho um filho que põe sorrisos no rosto de quem passa e que com algumas gargalhadas reconforta o meu coração. Enquanto isso, no quarto ao lado, você estaria se perguntando: "O cara sumia de um lado, aparecia do outro, como será que ele faz? É truque? É mágica?". Depois dormiríamos, acreditando que tudo ficaria bem.

Indo embora

Como em tantas outras madrugadas, acordo com um chorinho na babá eletrônica. É a Olivia, minha filha mais velha, de dois anos e meio. Na maioria das vezes, ela vira pro lado e volta a dormir, sozinha. Em algumas noites, contudo — e é o caso desta aqui —, ela senta no berço e começa a gritar "Papai! Papai! Papai!" ou "Mamãe! Mamãe! Mamãe!" até que um de nós apareça pra ouvir suas reivindicações.

São dois filhos, duas babás eletrônicas cujos sinais se embaralham, de modo que não ouço bem se é "Papai!" — e serei eu a sair tropeçando pela noite fria — ou "Mamãe!" — e caberá à Julia explicar que não é hora de mamar, nem de ir pra escola, nem de brincar com o Senhor Batata, nem de ouvir Galinha Pintadinha, mas hora de dormir.

"É papai ou mamãe?", balbucio, de olhos fechados, ao que minha mulher, sem nenhuma compaixão, sem nem sequer segurar a minha mão ou fazer um cafuné preparatório, dispara: "É 'Arthur'". Uma espada samurai atravessa o meu peito.

É claro que eu sabia que esse dia iria chegar: o dia em que

aquele bebezinho lindo que embalei nos meus braços, na maternidade, aquele serzinho indefeso que eu trouxe pra casa a quinze quilômetros por hora com pisca alerta ligado, aquele bumbunzinho rechonchudo que tantas vezes limpei, aqueles olhões deslumbrantes diante dos quais expliquei "esse é o leão", "essa é a lua", "esse é o manjericão", "essa é a chuva", iriam me trocar por outro homem. Achava, porém, que esse dia só viria daqui a umas duas décadas, na previsão mais pessimista.

Pensando bem, nem havia pessimismo na previsão. Imaginava, não sei se do alto do meu narcisismo ou do fundo da minha ingenuidade, que iria encarar tal dia com satisfação. Afinal, eu haveria criado minha filha pro mundo. Que ela saísse por aí se apaixonando e namorando seria um sinal da sua saúde e do nosso acerto.

Um pai enciumado? Coisa mais anos 50 — e, no entanto, meus amigos, quando descubro que não é a mim que ela implora pra salvá-la do escuro e da solidão, mas ao Arthur, colega da escola — um rapaz mais velho, diga-se de passagem, já beirando os três anos —, um nó de marinheiro se forma na minha garganta.

Estirado na cama, trêmulo, me dou conta de que, nas últimas semanas, ela já vinha dando sinais daquela paixão, e, pior, eu os vinha recebendo com patente irritação. Eu pegava o *Marcelo, marmelo, martelo*, a Olivia punha o dedo na capa e dizia: "Arthur!". "Não, Olivia, não é o Arthur, é o Marcelo!" Aparecia o irmão da Peppa, na TV, ela corria até a tela, sorrindo: "Arthur!". "Não, Olivia, não é o Arthur, é o irmão da Peppa, o George!" Os três porquinhos? "Arthur! Arthur! Arthur!" "Não, Olivia, são Prático, Cícero e Heitor!" "Arthur?!" "Heitor."

"Se você não vai, eu vou!", resmunga minha mulher, saindo da cama, surpreendentemente insensível ao meu cataclismo emocional. Só, vendo a Olivia na telinha da babá eletrônica, compreendo que não é ciúmes o que eu sinto, é solidão, uma solidão inédita e brutal: aquela menininha sentada no berço já começou a sair de casa, está indo embora, minuto a minuto, desde o dia em que a embalei no colo pela primeira vez, na maternidade; logo, logo, ela parte, de braços dados com algum Arthur, depois eu fico velho, aí eu morro, então acabou-se o que era doce, ou agridoce, tão rápido, que coisa mais doida é isso tudo.

1ª EDIÇÃO [2016] 6 reimpressões

ESTA OBRA FOI COMPOSTA PELO GRUPO DE CRIAÇÃO EM ELECTRA
E IMPRESSA PELA GRÁFICA PAYM EM OFSETE SOBRE PAPEL PÓLEN
DA SUZANO S.A. PARA A EDITORA SCHWARCZ EM JUNHO DE 2025

A marca FSC® é a garantia de que a madeira utilizada na fabricação do papel deste livro provêm de florestas que foram gerenciadas de maneira ambientalmente correta, socialmente justa e economicamente viável, além de outras fontes de origem controlada.